KU-108-918

INSTITUT FRANCAIS DU ROYAUME-UNI
BIBLIOTHÈQUE
QUEENSBERRY PLACE, LONDON, SW7 2DT

PETITS SPECTACLES

BORIS VIAN

PETITS SPECTACLES

Choix, préface et notices par
Noël Arnaud

CHRISTIAN BOURGOIS EDITEUR
8, rue Garancière. Paris-6ᵉ

ISBN 2-267-000-65-2

PREFACE

AU PIED DU RIDEAU

Eh bien, vous savez, ça n'a pas été un mince travail de réunir ces textes et, d'abord, de choisir, entre les dizaines et les dizaines de sketches écrits par Boris Vian, ceux qui formeraient un volume de taille décente, qu'un éditeur pût aujourd'hui poser sur les fonts baptismaux (et les étals des libraires) sans rougir jusqu'aux oreilles à l'idée de manquer de pudeur, sobriété, modestie en ces temps où il faut se mettre la tête sous la cendre et se la manger en guise de pomme de terre pour avoir trop goûté le caviar et les ortolans. Et du moment que tous les « petits spectacles » de Boris Vian ne peuvent être publiés car ils prendraient l'épaisseur de plusieurs Robert, à quel jugement se fier qui déciderait de l'admission ou de l'élimination d'un texte ?

Quand nous nous sommes plongé dans cette masse encore frémissante de tant et tant d'événements, à peine attiédis pour nous qui les avions vécus, de près ou de loin, et en tout cas connus à travers la presse lue fraîche, notre idée était de retenir les seuls textes qui « ne nous disaient rien », ceux donc qui avaient échappé à l'actualité d'il y a un quart de siècle ou ne s'y étaient jamais rattachés et pouvaient ainsi parler aux gens d'aujourd'hui. Bref, nous voulions rechercher l'intemporel. Sottise ! et de gros calibre pour un pataphysicien, instruit — comme il convient — de la pluie et du beau temps, mais aussi du Temps et qui devrait savoir qu'il a tout le temps, certes, et tout le Temps en un seul (passé, présent, futur) : le pataphysicien reste immobile sur le cours du Temps puisqu'il le prend à rebours mais à même vitesse et que tous les faits d'hier et d'aujourd'hui se déroulent sous ses yeux comme les images d'un diorama (ou celles d'un très bon film qui ne fut jamais tourné), le passé apparaissant sur le parcours du futur et au passage d'un point mort entre le futur et le passé qui est le présent imaginaire (nous simplifions) où nous posons notre siège. Dans ce présent imaginaire, Boris Vian pataphysicien ne passe pas, il demeure... (Queneau le disait) toujours futur. A cet égard, on rappellera qu'il avait intitulé une série de ballets : *Suite d'actualités imaginaires d'une semaine dans la vie,* alors que les personnages : les soldats, les curés, le président de la République étaient d'une « vérité » criante, ou à tout le moins gesticulante. Si nous lisons les *Spéculations* d'Alfred Jarry, rien ne nous est plus immédiat que « Juno Salmo au Nouveau Cirque » ou « le Cercueil de la reine Victoria », et surtout Jarry nous a enseigné que pour faire éternelle une œuvre d'art le plus simple était de la faire éternelle tout de suite : Breughel ne commet aucune incongruité en montrant dans son tableau du Massacre des Saints Innocents un soldat romain enfonçant une porte avec la crosse d'un fusil, ni Boris Vian quand il exhibe une panoplie de facteur au Paradis Terrestre. C'est ainsi qu'un peintre ou un écrivain a des chances de se faire entendre de ses contemporains et de ses arrière-petits-neveux, au moins aussi longtemps qu'il y aura des fusils et des facteurs.

Fort de ces hautes leçons, nous avons balayé l'obstacle de l'Histoire, fait fi de tout examen des événements et des hommes qui servirent de prétexte ou de support à plusieurs des « petits spectacles ». Au reste, il s'agissait d'une actualité traduite par la presse et donc, déjà, pour une bonne part, imaginaire ; Boris Vian, en l'écumant dans la marmite de sa personnelle imagination, lui ôtait le peu de « vrai » qui la rendait périssable et offrait une appréciable chance de longévité aux personnages en les ramenant à leur nature et à leur éminente dignité de « masques ».

Tout bien pesé, notre choix a été commandé par l'unique souci de réunir des spectacles complets. En d'autres termes, plus explicites, nous avons éliminé les saynètes isolées qui subsistent, nombreuses, dans les archives de Boris Vian ; tantôt, il arrive qu'on puisse rapporter avec certitude ces saynètes à un spectacle dont la quasi-totalité nous manque ; tantôt, nous doutons si le spectacle auquel elles étaient destinées a pris une forme définitive. Ces morceaux vagabonds ne sont pas forcément, et pour le seul motif de leur errance, dépourvus d'intérêt ; il est probable qu'ils seront publiés un jour, à plus forte raison si l'on réussit à les faire rejoindre l'entier des spectacles dont ils constituent pour l'heure des fragments et alors on regardera le présent volume comme le tome I des « petits spectacles ». Aussi bien rien n'empêche d'isoler tel ou tel sketch d'un des spectacles complets et de le monter indépendamment des autres ; d'ailleurs, cela s'est fait. Nous pensons cependant — et c'est une des raisons du parti adopté — que le sketch à qui l'on accorde aujourd'hui l'autonomie gagne un meilleur éclairage à être lu d'abord dans l'ensemble et la continuité où l'avait inscrit Boris Vian, éclairage d'autant plus utile que ces textes — nous n'y insisterons jamais assez — sont des textes de *spectacles,* donc conçus pour être joués, vus, entendus, parfois mimés ou dansés, parfois chantés, et non principalement pour être lus. Il est bon, croyons-nous, de savoir à quel spectacle le sketch appartenait, dans quel esprit il baignait, quelle musique et quel décor le portaient ; ce n'est pas la condition, c'est assurément la garantie d'une bonne interprétation, (dans tous les sens du mot) sans pour autant se priver d'adapter et de rénover en songeant que dans tout spectacle, et tout spectacle de cabaret en particulier (Jarry, avec son *Ubu sur la Butte,* nous en est caution), il y a — indiquées ou non par l'auteur — des parties *ad libìtum ;* encore faut-il bien connaître et bien comprendre le texte qui nous est transmis ; à défaut, ce n'est que trahison, et la pire : par ignorance.

Ici, et nous ne passerions pas du coq à l'âne, il nous démange d'exprimer nos considérations sur les difficultés d'établissement des textes rassemblés dans ce livre. Ce serait retarder abusivement le lever du rideau ; aussi reportons-nous nos plaintes à l'entracte qui précède *Cinémassacre ;* le bar du théâtre, où le pianocktail fonctionne à pleins tubes, pourra recevoir ceux que ces récriminations indiffèrent et quand ils rentreront dans la salle nous aurons fini de geindre.

De même, divers renseignements sur les circonstances d'écriture des textes et de leur représentation (ou non-représentation) à la scène sont distillés, à doses que nous espérons tolérables, dans les notices qui introduisent les principaux spectacles. Nous n'y dissimulons pas que ces circonstances n'ont pas toujours été élucidées. Depuis le début de nos travaux de publication des textes inédits de Boris Vian, jamais, autant que pour ce recueil de « petits spectacles », nous n'avons aussi instamment sollicité l'aide des lecteurs (amateurs, journalistes, professionnels du spectacle...) afin de combler nos lacunes et redresser nos erreurs.

Et maintenant, hurlerait la commère de revue, ou l'aboyeur que lui préférait Boris Vian, nous allons nous projeter dans le temps à venir (où nous sommes) et sur d'autres planètes (dont la nôtre). Solidement sanglé au volant de sa machine à parcourir le temps en avant et en arrière, Boris Vian nous inflige un démenti à notre refus de la chronologie puisqu'il commence par le commencement et nous entraîne chez un personnage très curieux, une espèce de Barnum, nommé Dieu.

Noël ARNAUD.

ADAM, EVE
ET LE TROISIEME SEXE

(Version à 4 personnages)

[1947]

1951

Boris Vian s'est beaucoup préoccupé de cet épisode capital de la Genèse qu'est la naissance des deux imbéciles, le Sieur Adam et la Fille Eve et des circonstances qui ont pu les conduire à se conjoindre et perpétuer. L'oisiveté est, dit-on, mère de tous les vices ; il faut un brin d'accent alsacien pour imprimer à ce proverbe son sens exact que voici : l'oisiveté est la mère de tous les fils. Boris Vian vise à démontrer la véracité de cette interprétation : c'est par pur désœuvrement qu'Adam et Eve finirent par utiliser des organes dont le Père Eternel les avait dotés sans trop savoir à quoi ils pourraient bien servir. Le Serpent n'y est pour rien : il refusera les avances de notre ardente grand-mère, il s'en faudra de peu qu'il séduise Adam (ce qui eut évité tout risque de reproduction) mais il lui préférera l'Archange Gabriel (qui, depuis, n'arrête pas de se disputer avec lui).

Trois versions de ce spectacle nous sont parvenues. La plus ancienne, qui remonte à 1947, est aussi la plus courte ; Colette Lacroix, vieille amie de Boris Vian du temps du jazz et des caves, en possède le manuscrit qu'elle nous a obligeamment communiqué. La seconde version, avec chœur (chœur des anges, bien entendu) date de février 1948 : la saynète originelle s'enfle ici aux dimensions d'un opéra-bouffe ; enfin, une version à quatre personnages (le cinquième, Dieu, se manifestant en voix off) *reprend la version Colette Lacroix et la corrige ou la complète avec quelques dialogues ou parties de dialogues recopiés de la version avec chœur ; cette version à quatre personnages, préparée pour Michel de Ré, date de 1951 ; elle est très proche de la version initiale, c'est pourquoi nous la publions en premier sous le titre* Adam, Eve et le troisième sexe, *quoique conçue la dernière, et la faisons suivre de la version intermédiaire intitulée par Boris Vian lui-même* A chacun son serpent, *où se répètent, avec quelques variantes, bon nombre des répliques de la version parlée, mais qui n'en mérite pas moins, pensons-nous, d'être proposée dans son intégralité au lecteur en raison de la présence (effective) de Dieu et de la place et de l'importance des parties rimées et chantées.*

N. A.

SCENE I

Adam est couché sur le dos et joue à regarder ses doigts de pied. Eve est nue et chevelue.

ÈVE

Quand vas-tu cesser ?

ADAM

Cesser quoi ?

ÈVE

De jouer avec tes doigts de pied. Ça fait cinq jours que tu joues avec tes doigts de pied. Tu ne trouves pas ça un peu abusif ?

ADAM

A quoi veux-tu que ça serve d'autre ? Tu trouves ça utile, toi, des doigts de pied ? Pas moi.

ÈVE

Tais-toi, il ne sera pas content s'il t'entend.

ADAM

Ça m'est bien égal. Comme s'il avait besoin de me prendre une côte. Il pouvait prendre mes doigts de pied.

D'abord... ça aurait fait (*il compte*) dix (*égrillard*) dix bonnes femmes ; et ensuite tu ne serais pas plus bête que tu n'es.

ÈVE

Tu crois vraiment que ça ne sert à rien ?

ADAM

Absolument à rien (*il bâille et se redresse*). Tu viens ?

ÈVE

Quoi faire ?

ADAM

Bouffer des fruits.

ÈVE

Oh, des fruits, des fruits, des fruits, et encore des oranges... non. J'en ai assez.

ADAM

Ça ne m'amuse pas non plus. Je disais ça pour parler. Au fond, mon rêve, ça serait tout autre chose.

ÈVE

Qu'est-ce que tu voudrais ?

ADAM

Une panoplie. Une panoplie de facteur.

ÈVE

Ça ne t'irait pas du tout.

ADAM

Tu n'en sais rien.

ÈVE

Mets-lui une lettre. Il ne te refusera pas une panoplie.

ADAM

Il faut toujours aller lui demander les choses... C'est un peu la barbe, tu sais. (*Une panoplie de facteur lui choit sur le crâne.*) Qu'est-ce qui m'arrive ?

ÈVE

Ben, c'est drôle, ce truc-là...

ADAM

A quoi ça peut-il servir ?

ÈVE

Je ne peux pas te dire... C'est la première fois que je vois ça. (*Adam s'assied sur le képi et ouvre la boîte.*)

ADAM

Regarde... C'est drôle... C'est plein d'un tas de papiers...

ÈVE

Oh ! Ça c'est rigolo aussi. (*Elle coiffe le képi qui lui tombe jusqu'aux oreilles.*)

ADAM

Rends-moi ça !

ÈVE

Non.

ADAM

Si.

ÈVE

Je retourne chez ma mère.

ADAM

Ah ! non, je ne pourrais plus respirer.

ÈVE

Et puis après tout, c'est affreux. Viens... On va se cueillir des feuilles de vigne...

ADAM

(*Il continue à démolir la panoplie.*) Non... J'en ai assez... Plus de feuille de vigne... Moi, je vais mettre un myosotis...

ÈVE

Tu seras ignoble, avec un myosotis...

ADAM

Qu'est-ce que ça peut te faire que je sois ignoble ? Tu en connais de mieux que moi ?

ÈVE

Je regarderai ailleurs.

ADAM

Eh bien je vais me mettre un myosotis...

ÈVE

Bon. Si tu fais ça, je te jure que je...

ADAM

Tu ?...

ÈVE

Rien... Après tout, je m'en contrefiche... Je vais faire un tour.

(Adam se remet à tripoter ses doigts de pied.)

Oh, veux-tu laisser ça tranquille !...

ADAM

Mais écoute, c'est idiot... On est plein de trucs qui ne servent à rien... regarde... toi aussi, tu en as.

ÈVE

Où ça ?

ADAM

Là... (*Il lui touche les seins et les secoue.*) Tu trouves que ça a l'air malin, ces espèces de bidules ?

se contreficher de qch.
not to care a damn about sth.

ÈVE (*hausse les épaules*)

Non, évidemment, mais ça ne me gêne pas ! Ça serait sûrement mieux sur toi, je suis d'accord.

ADAM

Qu'est-ce qu'on pourrait faire avec ? (*Il appuie dessus.*)

ÈVE

Si seulement ça faisait de la musique...

ADAM

C'est vrai... Ça serait drôle... (*Il appuie, on entend* couin.)
Chic ! Ça marche.

ÈVE

Oh !... On va jouer à l'autobus. (*Il se met à courir derrière elle en faisant* couin, couin, *et ils s'arrêtent.*)

ADAM

Ben, tu sais, tu aurais pu t'en apercevoir plus tôt. C'était rigolo.

ÈVE

Toi aussi, tu aurais pu t'en apercevoir plus tôt.

ADAM

Moi, je m'occupe de mes doigts de pied. Toi, tu n'as qu'à t'occuper des trucs que tu as aussi. (*Il s'étire.*) Réflexion faite, je ne mettrai pas de myosotis.

ÈVE

Enfin... tu deviens intelligent...

ADAM

Non... Je vais mettre une tulipe.

ÈVE

Oh... Tu m'assommes...

un bidule (pop.) = gadget/
what-do-you-call-it

ADAM

A tout de suite.

ÈVE *(excédée)*

Oui... oui...

SCENE II

(Entre le serpent. Il est ravissant, il a l'air d'un affreux pédé et il parle comme ça.)

ÈVE

Qu'est-ce que c'est que ça ?

SERPENT

Bonjour jolie dame !...

ÈVE

D'où sortez-vous ?

SERPENT

Et vous ?

ÈVE

De la cuisse de Jupiter.

SERPENT

Je ne vous crois pas. Vous êtes une méchante menteuse.

ÈVE

Ça revient au même. La côte d'Adam ou la cuisse de Jupiter, j'en donnerais le choix pour une épingle.

SERPENT

Oh ! Non ! Pas d'épingles... ça pique.

La cuisse = thigh / leg (of cooked fowl)

ÈVE

A quoi allons-nous jouer ?

SERPENT

Je ne sais pas...

ÈVE *(se rapproche de lui)*

Vous avez de jolis cheveux... Ils sont fins... dorés...

SERPENT *(un peu effrayé)*

Oui... n'est-ce pas... Mais les vôtres aussi, naturellement...

ÈVE

Vous avez la peau fine... Est-ce qu'on vous l'a dit ?

SERPENT *(baisse les yeux)*

Je suis seul au monde, Madame...

ÈVE

Pauvre gosse... (*Elle se rapproche de lui plus encore.*)

SERPENT

Oh, vous savez j'ai l'habitude...

ÈVE

Il faut venir me voir, si vous êtes triste... Je vous consolerai...

SERPENT

Je... Je n'ose pas, Madame...

ÈVE

Mais si... Mais si, mon petit... N'ayez pas peur de moi.

SERPENT

C'est que... Madame... Vous allez m'en vouloir...

ÈVE

Mais non...

SERPENT

Voilà... Je... Je n'aime pas les femmes, là...

ÈVE *(recule, très vexée)*

Ah ! C'est donc ça !... Eh bien, vous êtes un beau petit mufle, mon ami... Et moi qui essayais de le consoler...

(Entre Adam)

SCENE III

Adam, Eve, Serpent.

ÈVE

Tiens... Tu arrives à temps, toi... Regarde ça.

ADAM

Quoi ? Qu'est-ce que c'est ? Une fille ou un garçon ? Il t'a enlevé une côte ?

ÈVE

Mais non... Il y en a un troisième, tout simplement.

ADAM

Trois, ça ne fait pas un compte rond. (*Il s'approche du serpent.*) Tu es sûre que ce n'est pas une fille ?

ÈVE *(riant)*

Je commence à me le demander...

SERPENT

Pourquoi me dites-vous des méchancetés, Madame ? Je ne vous ai rien fait.

ADAM

Et si c'est un garçon, alors c'est peut-être que je préfère les garçons...

ÈVE

C'est ça... continue... dis-le tout de suite que tu veux que je m'en aille...

ADAM

Mais enfin comment veux-tu que je sache... Tout ça c'est des problèmes qu'il faut prendre depuis le début... Ecoute. Il te plaît ?

ÈVE

Oui.

ADAM

Eh bien, moi aussi, il me plaît.

ÈVE

Et alors ?

ADAM

Alors, on va se le tirer à la courte paille.

draw lots

SERPENT

Ecoutez, vous n'êtes pas affectueux vous deux... moi, je ne veux pas être tiré à la courte paille, d'abord...

ADAM

Enfin, qu'est-ce que ça peut vous faire ? Ce n'est pas déshonorant...

SERPENT

Vous disposez de moi comme si je n'étais... je ne sais pas, moi... qu'une coccinelle...

ÈVE

Mais vous *êtes* une coccinelle...

SERPENT

Certainement pas, Madame... Ecoutez si vous me laissez tranquille, je vous fais une proposition...

ÈVE

Ça ne prend plus vos propositions...

SERPENT

C'est que celle-là est intéressante.

ADAM *(lui passe le bras autour du cou)*

Laissez-la, elle crie toujours... Qu'est-ce que c'est que cette proposition ?

SERPENT

Je n'veux pas l'dire !...

ÈVE

Il va t'emmener en bateau... lead you down the garden path

ADAM

Mais non... Il est très gentil... Qu'est-ce que c'est que cette proposition ?

SERPENT *(se dégage)*

Ne me touchez pas... Je suis très délicat... Ecoutez si vous êtes aimables tous les deux, je vous promets de vous montrer de quoi il retourne...

ÈVE

Quoi ?

SERPENT

Je vous montrerai de quoi il retourne.

ÈVE *(lui tâte une épaule à regret)*

Si seulement vous étiez plus sociable...

SERPENT

Laissez-moi !...

ADAM

Oh, vous commencez à nous casser les pieds, vous savez... Finissons-en. Qu'est-ce que vous avez à nous montrer ?

SERPENT *(air mystérieux)*

Des choses...

ÈVE

Quoi ?

SERPENT *(triomphant)*

Ça ! (*Il montre une belle pomme.*)

ÈVE

C'est tout ?...

ADAM

Et alors ? Moi je croyais que vous aviez au moins une panoplie de facteur ? Il n'y a rien dont j'aie envie comme une panoplie de facteur. Et qu'est-ce que vous nous sortez ? Un fruit.

ÈVE

Vous vous êtes bien payé notre tête.

SERPENT

Une minute ! C'est que ce n'est pas un fruit comme les autres !... C'est le fruit de la connaissance !...

ADAM

Vous pouvez en faire des conserves de votre fruit. Ce que vous voudrez, du cidre, même, si ça vous chante.

SERPENT

Je vous demande pardon, mais qu'est-ce que c'est que du cidre ?

ADAM

Vous devez le savoir, puisque vous avez le fruit de la connaissance. Et puis, assez causé... (*Il prend la pomme et la flanque en l'air.*) Tenez, voilà ce que j'en fait, de votre fruit...

SERPENT

Ça m'est égal... J'en ai d'autres...

ADAM

Alors pour la dernière fois... Oui ou non ?

SERPENT *(le regarde)*

Non.

ADAM

Ni avec elle, ni avec moi ?

ÈVE

Oh, n'insiste pas...

SERPENT

Ni avec elle, ni avec vous.

ADAM

Alors, si c'est ça, vous pouvez rentrer chez vous et vous amuser tout seul.

SERPENT

C'est ce que je vais faire... Vous êtes trop laids tous les deux... Voilà !

ADAM *(lui fout son pied dans les fesses)*

Fiche-moi le camp, espèce d'asexué...

(Il sort)

SCENE IV

Adam, Eve.

ÈVE

Qu'est-ce que tu as toi, aujourd'hui ? Tu es déchaîné ! Une panoplie de facteur, du cidre, un asexué ! Mais enfin, où vas-tu chercher tous ces mots-là ?

ADAM *(faussement modeste)*

Oh ! ce n'est rien !... Je peux en trouver d'autres. Tiens, écoute. *(Il réfléchit et distille savoureusement le mot.)* Un adultère...

ÈVE *(troublée)*

Ne dis pas ça...

ADAM

Pourquoi ? C'est joli *(il répète)* un adultère...

ÈVE

Ça me fait quelque chose... Déjà « asexué »... ça me faisait quelque chose, mais l'autre... Tu m'aimes ?...

ADAM *(estomaqué)*

Quoi ?

ÈVE

Tu m'aimes ?... *(elle s'approche de lui, câline)*

ADAM

Eh bien, dis donc... Je ne sais pas si j'invente des mots qui font de l'effet (*il s'étrangle*). Mais celui-là je me demande où tu l'as pris...

ÈVE

Je ne sais pas... (*un silence, elle se rapproche de lui*). Est-ce que tu as envie de moi ?...

ADAM

Si tu ne t'arrêtes pas de parler comme ça, je te jure que je te... déshabille et que je te... flanque une fessée...

ÈVE

Oh... déshabille-moi... Je t'en prie...

ADAM

Comment fait-on ?

ÈVE *(se serre contre lui)*

Je ne sais pas... cherche... Prends-moi dans tes bras...

ADAM

Et après... (*il la prend*)

ÈVE

Lâche-moi (*il la lâche*). Non... Prends-moi encore. Emmène-moi...

ADAM

Où veux-tu que je t'emmène ?

(Ils sortent par la gauche.)

ÈVE

Je ne sais pas... Tu veux m'embrasser ?

ADAM

Je veux bien... (*Il lui caresse les cheveux.*)

ÈVE

Ça ne doit pas être ça (*il l'embrasse*). Mon chéri !

ADAM *(sursaute)*

Quoi ? Mon chéri !... Viens !... Viens immédiatement. *(Ils sortent enlacés.)*

DIEU *(un temps)*

C'est bien difficile de penser à autre chose quand on sait par hypothèse tout ce qui se passe... sans exception.

SCENE V

Le serpent rentre, l'air d'un enfant réprimandé et qui s'en fiche, un peu boudeur, suivi de Gabriel. (Ils se disputent avant d'entrer en scène.)

GABRIEL

Enfin quoi... vous trouvez ça malin ?

SERPENT *(lui tourne le dos)*

Vous m'embêtez.

GABRIEL

J'ai failli la recevoir dans l'œil et ça a cassé trois châssis-couches.

SERPENT

Vous ne pensez qu'à vos châssis-couches.

GABRIEL

Vous êtes le personnage le plus insupportable que j'aie jamais vu. La prochaine fois que je vous reprends à me flanquer une pomme à la figure, je vous jure que je vais lui dire.

SERPENT

Il a d'autres chats à fouetter. Et puis d'abord, ce n'est pas moi qui l'ai lancée, cette pomme.

GABRIEL

Qui est-ce alors ? Adam ?

SERPENT

Qui voulez-vous que ce soit ?

GABRIEL

Ce n'est pas Adam qui est venu vous chercher, tout de même.

SERPENT

Mais non, ce n'est pas lui, mais je m'embête, à la fin... J'en ai assez. Je suis toujours tout seul, tout le monde m'engueule, tout le monde me tombe sur le dos, vous croyez que c'est une existence ?

GABRIEL

Enfin... Vous ne manquez de rien, vous avez tout ce que vous voulez...

SERPENT

Non...

GABRIEL

Qu'est-ce que vous voulez ?

SERPENT *(hésite... puis se décide)*

Une panoplie de pompier.

GABRIEL

Ne vous moquez pas de moi...

SERPENT

Mais je ne me moque pas de vous. *(Une panoplie de pompier tombe du ciel.)* Oh ! ma mère ! Qu'est-ce qui m'arrive !

GABRIEL

Vous avez dû le vexer ou lui déplaire.

(Le serpent ramasse la panoplie et l'examine avec attention.)

SERPENT

Qu'est-ce qu'il veut que je fasse de ce système-là ? Quel vieux chnock ! *(Il la jette.)*

GABRIEL

Allons... allons... ne recommencez pas à mal parler de votre oncle vénéré.

SERPENT

Ça va, ça va, je le connais le coup de l'oncle... Ça leur ferait honte de le dire que je suis son fils...

GABRIEL *(affolé)*

Allons !... malheureux... Mais qui vous a dit ça !... Taisez-vous donc, voyons ! Vous n'êtes pas raisonnable mon petit.

SERPENT

Oui, je le sais que je suis son fils. Oui, je le sais que ma mère s'appelait Lilith. Oui, je le sais que j'aurai jamais ni frère, ni sœur, parce qu'il a autre chose en tête en ce moment. Eh bien, j'en ai assez, moi. Si je suis un bâtard, qu'on me mette à la porte. C'est pas drôle... Je vous répète... C'est pas drôle. Et pour une fois que j'essaie de faire une bonne blague aux deux idiots là-bas, tout rate, et par surcroît, vous m'engueulez... Eh bien, zut... zut... je m'en vais... *(Il essuie une larme.)* C'était pourtant une bonne blague, le coup du fruit de la connaissance. Et ils n'ont pas marché une seconde...

GABRIEL

Qu'est-ce que vous faites ? Restez là, voyons...

SERPENT

Non... Faites-moi sortir d'ici... J'en ai assez... Je m'embête... Flanquez-moi à la porte, Gabriel... je vous en prie... Gabriel... Je vous en prie...

GABRIEL

Allons... Allons... Cessez donc de remâcher des vieilles histoires auxquelles ni vous ni moi ne pouvons plus rien... Prenez sur vous...

SERPENT

Je veux bien... mais qui voulez-vous que je prenne...

GABRIEL

Voyons... voyons... Pas de plaisanteries déplacées... Vous ne courez aucun danger de ce côté-là...

SERPENT

Evidemment... Et vous croyez que c'est malin de se trouver dans cet état-là devant un bonhomme et une bonne femme qui ne pensent visiblement qu'à ça toute la journée... Mais je vous jure que j'aimerais mieux m'en aller.

GABRIEL

Allons... allons... Adam et Eve sont aussi innocents qu'au jour de leur naissance.

SERPENT

Sans blague... Eh bien allez les voir, tenez... vos innocents.

GABRIEL *(inquiet, fait quelques pas)*

Mais non... enfin... écoutez... dites-moi. Ce n'est pas possible...

SERPENT

Allez, je vous dis.

(Gabriel sort.)

SCENE VI

Serpent seul.

SERPENT

Ah, oui, ils sont aussi innocents que le jour de leur naissance... tu vas voir ça, mon vieux Gabriel... vieux voyeur... tu es ravi, au fond... ça te distraira... C'est qu'on s'embête ferme, dans ce fichu établissement. *(On entend Gabriel qui revient en grommelant. Il avance suivi d'Adam et Eve.)* Tiens il a dû les trouver tout de même...

SCENE VII

Gabriel, Adam, Eve, Serpent.

GABRIEL

Enfin, c'est scandaleux... C'est insensé... Où est-ce que vous vous croyez ? Dans un jardin de passes ou au Paradis ?

ADAM

Qu'est-ce qui vous arrive ? Ça vous regarde ? On a des tas de trucs dont on ne sait pas quoi faire... Pour une fois qu'on réussit à en savoir un peu plus long... Moi je veux bien lui rendre ses doigts de pied, vous savez... Ça c'est bien d'accord... ça ne sert à rien...

GABRIEL

Bon... Eh bien mon ami, vous pouvez faire vos paquets... parce que je vous préviens... le patron ne veut pas d'enfants ici... Ni enfants, ni animaux... Alors, vous savez ce qui vous reste à faire...

ÈVE

Et si on veut des enfants... des adultères... des cinq à sept... des samovars... des pendules... des rez-de-chaussée... des porto-flip.

GABRIEL

Mais enfin, ma petite, est-ce que vous vous payez ma tête, par surcroît ?

ADAM

Laissez-la... Si elle veut des samovars... et des pendules, et même des coupe-cigares, des punaises, des édredons et des pâtes épilatoires, ça ne vous regarde pas... vous nous ennuyez...

GABRIEL

Allez... Vous êtes fous tous les deux, sortez d'ici. N'insistez pas.

ADAM

Parfaitement, on sortira d'ici... Travail, famille, patrie, le pain, la paix, la liberté, vive l'armée rouge, vive le général de Gaulle. Vive la révolution française... Allons enfants de la Patrie dans les petits pots les bons onguents.

ÈVE

Et j'aurai des aspirateurs, et des lessiveuses, et des engelures, et des services de table, et des métrites et des aiguilles à tricoter.

(Ils sortent.)

ADAM *(dont la tête réapparaît)*

Et des chapeaux Eden.

SCENE VIII

Gabriel, Serpent.

SERPENT

(Il se met à pleurer.) Voilà... Je suis tout seul... Je suis tout seul... et ils ne m'ont même pas regardé... et ils ne m'ont même pas dit au revoir... Personne ne m'aime... Personne ne m'aime. *(Gabriel lui pose une main sur l'épaule.)* Laissez-moi, vous, vous êtes méchant... Vous êtes un sale vieux bonhomme... Allez... Allez lui greffer ses rosiers... Je suis tout seul... *(Gabriel hausse les épaules, accablé.)*

Personne ne m'aime... Personne ne m'aime...

GABRIEL *(affectueux)*

Enfin, mon petit, ne pleurez pas comme ça !...

SERPENT

Oh ! Je suis si malheureux. *(Gabriel s'approche de lui, le tapote et s'énerve un peu ; le Serpent redresse la tête, l'air malin.)* Gabriel... emmenez-moi faire un tour.

GABRIEL

Allons, du calme... du calme. *(Le Serpent l'entraîne par la main.)*

SERPENT

Venez. On va jouer à Adam et Eve.

GABRIEL *(haut-le-corps)*

Oh ! Vous n'avez pas honte !

SERPENT

Vous avez déjà mangé des pommes ?

(Le rideau tombe, choqué.)

A CHACUN
SON SERPENT

1948

PROLOGUE

Devant le rideau. Dieu arrive en scène, suivi des anges qui s'éclaircissent la voix (vocalises : ah, ah, ah, mi, mi, mi, grgrgrr...). Dieu a une grosse sacoche et ressemble à un dessin de Jean Effel.

DIEU

Et naturellement, comme tous les dimanches, ils vont venir me casser les pieds avec leurs cantiques ! Ah ! Si j'avais su ! *(Musique.)*

LE CHŒUR

S'il avait su !

DIEU

Je n'me s'rais pas donné cette peine
Mais je n'peux plus.

LE CHŒUR

Mais i n'peut plus.

DIEU

Je suis pris à mes propres chaînes.

LE CHŒUR *avec majesté*

Il est pris à ses propres chaînes.

DIEU *sinistre*

Ah c'qu'on s'amuse
Au Paradis !
Bon sang, comme je voudrais qu'ça change.
Ah, c'qu'on s'amuse
L'jour et la nuit
A écouter le chœur des han... ges...

LE CHŒUR *ravi*

Y a rien à faire, faut y passer.
On va être heureux toute la vie.
Pourtant, maintenant qu'on sait ce que c'est
On n'en a vraiment plus envie.
Y a jamais d'pluie, y a jamais d'vent
L'soleil est là toute la journée
Y a pas un seul emmerdement
Pas d'impôts, pas d'grève, pas d'armée
Y a pas d'moustique, Y a pas d'enfants
Pas d'misère et pas d'argent
Y a pas d'curé, y a pas d'printemps *(sur l'air de Piaf)*
Y a qu'un été qui dure tout le temps.

DIEU

Les anges, vous êtes bien assommants
Vous êtes là à râler tout le temps
Vous oubliez qu'y a un serpent
Et puis aussi *(roulement de tambour brutal)*... un règlement. *(Silence de mort.)*

LES ANGES *(parlé, mais en montant la gamme)*

Il est marrant, son règlement
Faut faire c'qui vous passe par la tête
On a l'droit d'marcher su'l'gazon
On a l'droit d'cueillir les pâquerettes
On peut déposer des ordures
On peut pisser contre les murs
On peut dépasser l'trente à l'heure
On peut s'habiller en bonne sœur
On peut casser son auréole

Ou la porter sur l'oreille gauche
Ou imiter Vincent Auriol
Sans risquer d'se fair'mettre en tôle...

(Un ange entre. Les ailes vert vif. Parlé :)
Et puis, en outre, on peut se peindre les ailes en vert...

(Tous ensemble)
C'est décourageant !...

DIEU *navré (parlé)*
Allons, c'est chic, ce Paradis,
Bon sang, c'est vraiment une belle chose
On est là, le jour et la nuit
A respirer l'parfum des roses
Et puis... Cré nom d'une pipe... Tout de même...
Y a un pommier !...

LES ANGES *brutaux*
Tarte à la crème !...

(Silence. Ritournelle enfantine.)

UN ANGE *(parlé, marseillais)*
Croyez-moi, ce pommier, c'est une bonne blague...
Sûr et certain qu'il risque pas d'être lésé...
Car jamais ils n'auront l'idée d'avoir l'idée
De se laisser aller à se mettre à...

UN ANGE *un peu tante, très doux*
De se laisser aller à se laisser aller...

DIEU *lève le doigt*
Si vous saviez c'qui va s'passer
Vous n'seriez pas si pressés.

(Parlé :)
Parce que je sens, tout d'un coup, à mon œil de perdrix

qu'aujourd'hui, compère guilleri, ils vont faire une entorse au règlement. Et, Bon Moi, il est temps.

(Roulements de tambour sinistres. Le ciel s'obscurcit et le rideau se lève sur un paysage radieux.)

SCENE I

Adam et Eve sont assis sur deux branches d'arbres qui dissimulent habilement le point nodal de leur nudité. Un rideau de buisson à mi-hauteur en masquera le reste. Prévoir une légère échancrure devant laquelle on espérera tout le temps les voir passer.

ÈVE

Tu vas bientôt t'arrêter ?

ADAM

M'arrêter de quoi faire ?

ÈVE

T'arrêter de jouer avec tes doigts de pied. Ça fait cinq jours que tu joues avec tes doigts de pied. Tu ne trouves pas ça un peu abusif ?

ADAM

Enfin, ça ne peut servir à rien d'autre. Qu'est-ce que tu veux qu'on fasse avec des doigts de pied ? Jouer avec. C'est ce que je fais.

ÈVE

Tais-toi. Il ne sera pas content, s'il t'entend.

DIEU

D'abord, j'entends tout. Ensuite, il peut bien se les couper, si ça l'amuse...

ADAM

Ça m'est bien égal. Il avait bien besoin de me prendre une côte. Il n'avait qu'à me prendre mes doigts de pied pour te fabriquer. D'abord, ça en aurait fait... *(Il compte)* dix... *(égrillard)* et oui... dix bonnes femmes... Ensuite, tu ne serais pas plus bête que tu n'es *(réfléchissant)*. Mettons cinq en admettant qu'il faut deux doigts de pied pour faire une femme...

ÈVE

Tu crois vraiment que ça ne peut servir à rien d'autre ?

ADAM

Absolument à rien qu'à jouer avec. *(Il bâille et saute à terre.)* Tu viens ?

ÈVE

Quoi faire ? Où ça ?

ADAM

Bouffer des fruits.

ÈVE

Oh, des fruits, des fruits, des fruits et encore des oranges... J'en ai assez.

ADAM

Ça ne m'amuse pas non plus. Je disais ça pour parler. Mais au fond, mon rêve, ça serait tout autre chose.

ÈVE

Qu'est-ce que tu voudrais ?

ADAM

Une panoplie. Une panoplie de facteur.

(Dieu lève les bras au ciel.)

ÈVE *(assurée)*

Ça ne t'irait pas du tout.

ADAM

Tu n'en sais rien.

ÈVE

En tout cas, il ne te refusera pas une panoplie.

ADAM

Il faut toujours lui demander les choses. C'est un peu la barbe, tu sais.

(Le chœur des anges commence à s'accorder.)

Oh encore ceux-là, quel poison !

ÈVE

Moi, je trouve pas ça mal... Il y en a un qui a une voix douce... On se le représente... Un joli brun avec une guitare d'amour...

(Adam très étonné la regarde.)
Musique : Air des Trois Orfèvres.

LES ANGES *(petit ballet)*

Il n'y a rien dans le règlement
Qui so qui s'oppose pose qui s'oppose
A l'attribution faite sur-le-champ
De l'ob de l'objet dont auquel il cause

UN ANGE, *vulgaire, à Dieu*

Alors, vous la lui filez, patron, sa panoplie ?

DIEU

Voilà !
(Il ouvre sa sacoche et en tire une panoplie de facteur qu'il tend à un des anges. Elle passe de main d'ange en main d'Adam.)

ADAM

Qu'est-ce que c'est que ça ?

ÈVE

Ben ! C'est drôle, ce machin-là !

ADAM

Mais à quoi ça peut servir ?

ÈVE

Je ne peux pas te dire. C'est la première fois que je vois ça.

ADAM *ouvre la boîte*

Regarde ! C'est plein de papiers...

ÈVE

Ça c'est rigolo aussi.

(Elle coiffe le képi qui lui tombe jusqu'aux oreilles. Adam le lui prend.)

ADAM

Rends-moi ça !

ÈVE

Non !

ADAM

Si !

ÈVE

Je retourne chez ma mère !

ADAM *(la main sur la côte)*

Ah non ! Je ne pourrais plus respirer !

ÈVE

Et puis, après tout, c'est affreux *(Elle le lui rend.)* Viens ; on va se cueillir des feuilles de vigne.

ADAM *continue à démolir la panoplie*

Non... J'en ai assez... Plus de feuille de vigne... Moi je vais me mettre un myosotis... *(Il coiffe le képi.)*

ÈVE

Tu seras ignoble, avec un myosotis.

ADAM

Qu'est-ce que ça peut te faire ?

ÈVE

Je regarderai ailleurs.

ADAM

Eh bien, je vais me mettre un myosotis...

ÈVE

Ben, si tu fais ça... je...

ADAM

Tu ?...

ÈVE

Rien... Je m'en contrefiche... Je vais faire un tour. *(Adam se remet à tripoter ses doigts de pied.)* Veux-tu laisser ça tranquille !

ADAM

Mais enfin ! C'est idiot, on est plein de trucs qui ne servent à rien... Regarde. Toi aussi, tu en as.

ÈVE

Où ça ?

ADAM *lui touche les seins et les secoue*

Là... Tu trouves que ça a l'air malin, ces bidules ?

ÈVE *hausse les épaules*

Non, évidemment. Mais ça ne me gêne pas.

ADAM

Qu'est-ce qu'on pourrait faire avec ? *(Il appuie dessus.)*

ÈVE

Si seulement ça faisait couic couic...

ADAM

C'est vrai... *(Il appuie. On entend* couic.) Chic ! Ça marche !

ÈVE

Oh ! On va jouer à l'autobus. *(Il se met à courir derrière elle en faisant* couic, couic, *et ils s'arrêtent.)*

ADAM

Tu aurais pu t'en apercevoir plus tôt.

ÈVE

Toi aussi.

ADAM

Moi, je m'occupe de mes doigts de pied. Toi, tu n'as qu'à t'occuper des trucs que tu as aussi. (*Il s'étire.*) Réflexion faite, je ne me mettrai pas de myosotis.

ÈVE

Enfin. Tu deviens intelligent...

ADAM

Non. Je vais mettre une tulipe.

ÈVE

Oh ! Tu m'assommes...

ADAM

A tout de suite... *(Bruits d'anges s'éclaircissant la voix.)* Oh ! Je file...

ÈVE, *excédée*

Oui... Oui...

Musique très opéra.

LES ANGES

Ainsi dans sa candeur naïve
Il abandonne sa compagne
Ne sachant pas que tout arrive

PREMIER ANGE

A qui ne porte même pas

DEUXIÈME ANGE

Même pas.

TROISIÈME ANGE

Même pas.

QUATRIÈME ANGE

Même pas un petit pagne.

DIEU

Et là, ma foi, je crois qu'il faut que je m'accuse
Car si l'homme est sorti changer son ornement
C'est que j'ai fait pousser dans les champs, plein de ruse
Par tombereaux entiers, des plantes d'agrément.
Des tulipes, des myosotis
Et des brouillouses et des coucous
Des grelupins et des sécouères
Des malbranches et des torpous
Et des primevères... *(Il danse sur place.)*

LES ANGES

viennent fredonner à l'oreille d'Eve qui écoute ravie

Ne sens-tu pas dans l'air un parfum délicieux
Et qui semble bla bla bla bla bla bla dans les cieux
Ne crois-tu pas ble ble ble ble ble que l'amour
Est un mal bla bla bla bla bla bla bla toujours ?

ÈVE

Oh, ce qu'ils sont drôles aujourd'hui ! J'aime tellement le petit brun avec la guitare.

LES ANGES

Mais chut ! voici venir de la prairie voisine
Celui qui est pour sûr le Dieu de la machine.

SCENE II

Eve et le Serpent, qui est ravissant. Il a l'air d'un affreux pédé et il parle comme ça.

ÈVE

Qu'est ce que c'est que ça ?

SERPENT

Bonjour, jolie dame... je suis le serpent furtif et ravageur...

ÈVE

D'où sortez-vous ?

SERPENT

Et vous ?

ÈVE

De la cuisse de Jupiter.

SERPENT

Je ne vous crois pas. Vous êtes une méchante menteuse.

ÈVE

Ça revient au même. La côte d'Adam ou la cuisse de Jupiter, j'en donnerais le choix pour une épingle.

SERPENT

Oh non !... Pas d'épingles... Ça pique !

ÈVE

A quoi allons-nous jouer ?

SERPENT

Je ne sais pas...

ÈVE

Vous avez de jolis cheveux...

SERPENT *un peu effrayé*

Oui... N'est-ce pas. Mais les vôtres aussi, naturellement.

ÈVE

Vous avez la peau fine. Est-ce qu'on vous l'a dit ?

SERPENT *baisse les yeux*

Je suis seul au monde, Madame...

ÈVE

Pauvre gosse... *(Elle se rapproche de lui plus encore.)*

SERPENT *(s'écarte)*

Oh, vous savez ! J'ai l'habitude...

ÈVE

Il faut venir me voir, si vous êtes triste... Je vous consolerai...

SERPENT

Je... Je n'ose pas, Madame...

ÈVE

Mais si... Mais si, mon petit... N'ayez pas peur de moi.

SERPENT

C'est que... Madame... vous allez m'en vouloir...

ÈVE

Mais non...

SERPENT

Voilà... Je... Je n'aime pas les femmes, là...

ÈVE *recule très vexée*

Ah ! c'est donc ça ! Eh bien, vous êtes un beau petit mufle, mon ami... Et moi qui essayais de le consoler...

SCENE III

Adam, Eve et le Serpent. Entre Adam.

ÈVE

Tiens ! Tu arrive à temps, toi ! Regarde ça.

ADAM

Quoi ? Qu'est-ce que c'est ? Une fille ou un garçon ? Il t'a enlevé une côte ?

ÈVE

Mais non... Il y en a un troisième, tout simplement.

ADAM

Trois, ça ne fait pas un compte rond. *(Il s'approche du Serpent.)* Tu es sûre que ce n'est pas une fille ?

ÈVE *riant*

Je commence à me le demander...

SERPENT

Pourquoi me dites-vous des méchancetés, Madame ? Je ne vous ai rien fait.

ADAM

Et si c'est un garçon, alors, c'est peut-être que je préfère les garçons...

ÈVE

C'est ça... Continue... Dis-le tout de suite que tu veux que je m'en aille...

ADAM

Mais enfin, comment veux-tu que je le sache... Tout ça, c'est des problèmes qu'il faut prendre depuis le début... Ecoute, il te plaît ?

ÈVE

Oui.

ADAM

Eh bien, moi aussi, il me plaît.

ÈVE

Et alors ?

ADAM

Alors, on va se le tirer à la courte paille.

SERPENT

Ecoutez... Vous n'êtes pas affectueux, vous deux... Moi je ne veux pas être tiré à la courte paille, d'abord...

ADAM

Enfin, qu'est-ce que ça peut vous faire ? C'est pas déshonorant !

SERPENT

Vous disposez de moi, comme si je n'étais... Je ne sais pas moi... qu'une coccinelle.

ÈVE

Mais vous *êtes* une coccinelle !

SERPENT

Certainement pas, Madame... Ecoutez, si vous me laissez tranquille, je vous fais une proposition...

ÈVE

Ça ne prend plus vos propositions...

SERPENT

C'est que celle-là est intéressante.

ADAM *lui passe le bras autour du cou*

Laisse-la. Elle crie toujours. Qu'est-ce que c'est que cette proposition ?

SERPENT

Je n'veux pas l'dire...

ÈVE

Il va t'emmener en bateau.

ADAM

Mais non... Il est très gentil... Qu'est-ce que c'est que cette proposition ?

SERPENT *se dégage*

Ne me touchez pas... Je suis très délicat... Ecoutez, si vous êtes aimables tous les deux... Je vous promets de vous montrer de quoi il retourne.

ÈVE

Quoi ?

SERPENT

Je vous montrerai de quoi il retourne.

ÈVE *lui tâte une épaule à regret*

Si seulement vous étiez plus sociable...

SERPENT

Laissez-moi !

ADAM

Oh, vous commencez à nous casser les pieds, vous savez ! Finissons-en. Qu'est-ce que vous avez à nous montrer ?

SERPENT, *air mystérieux*

Des choses...

ÈVE

Quoi ?

SERPENT *triomphant, montre une belle pomme*

Ça !

ÈVE

C'est tout ?

ADAM

Et alors ? Moi je croyais que vous aviez au moins une panoplie de facteur. Il n'y a rien dont j'aie envie comme d'une panoplie de facteur ! Et qu'est-ce que vous nous sortez ? Un fruit !

ÈVE

Vous vous êtes bien payé notre tête !

SERPENT

Une minute. C'est que ce n'est pas un fruit comme les autres ! C'est le fruit de la connaissance.

ADAM

Vous pouvez en faire des conserves de votre fruit. Ce que vous voudrez. Du cidre, même, si ça vous chante.

SERPENT

Je vous demande pardon, mais qu'est-ce que c'est que du cidre ?

ADAM

Vous devez le savoir puisque vous avez le fruit de la connaissance. Et puis, assez causé... *(Il prend la pomme et la flanque en l'air.)* Tenez ! Voilà ce que j'en fais de votre fruit.

SERPENT

Ça m'est égal, j'en ai d'autres.

UN ANGE *(se montre)*

Vous permettez ? Juste un petit mot... Faut qu'on répète un peu, pas ?

ADAM

Allez-y... Allez-y... d'ailleurs, il n'y a pas moyen de vous faire taire.

LES ANGES *(parlé)*

Voyez ce serpent fielleux, pétri de vices
Il y a dans son âme un abîme d'ombre.
Il a dû se glisser par un des interstices
Qui séparent l'Eden des galaxies sans nombre
Pour venir parmi nous semer la zizanie.

DIEU

Est-ce que toutes ces histoires seront bientôt finies ?
Voulez-vous regagner vos chambres tout de suite
Ou je vous y renvoie moi-même et un peu vite !

ANGE *vulgaire*

Mande pardon, patron. Mais c'est pas dans le règlement !

DIEU

D'abord le règlement, c'est moi. *(Il s'arrête. Rire complaisant.)* Eh, ça sonne pas mal ! *(A Adam.)* Allez. Enchaînez, vous autres !...

(Les anges sortent au pas. L'ange flic reste à la traîne, écoutant aux portes.)

ADAM *au serpent*

Eh ben, si vous voulez ni d'elle ni de moi, vous pouvez rentrer chez vous et vous amuser tout seul.

ANGE *flic*

Mince ! Ça, c'est un peu bien causé, alors hein !

(Regard furieux de Dieu. Il détale.)

SERPENT

Eh bien, c'est ce que je vais faire... Ah ! vous êtes trop laids, tous les deux, voilà.

ADAM *lui botte le cul*

Fous-moi le camp, espèce d'asexué ! *(Serpent sort.)*

SCENE IV

Adam. Eve.

ÈVE

Qu'est-ce que tu as, toi, aujourd'hui ? Tu es déchaîné ! Une panoplie de facteur, du cidre, un asexué ! Mais enfin, où vas-tu chercher ces mots-là ?

ADAM *modeste*

Oh, ce n'est rien... Je peux en trouver bien d'autres. Tiens écoute. *(Il réfléchit et distille savoureusement le mot.)* Un adultère...

ÈVE *troublée*

Ne dis pas ça...

ADAM

Pourquoi ? C'est joli. *(Il répète.)* Un adultère...

ÈVE

Ça me fait quelque chose. Déjà asexué, ça me faisait quelque chose, mais l'autre... Tu m'aimes ?

ADAM *estomaqué*

Quoi ?

ÈVE *s'approche de lui, câline*

Tu m'aimes ?

ADAM

Eh ben, dis donc, je ne sais pas si j'invente des mots qui font de l'effet *(il s'étrangle)* mais celui-là... je me demande où tu l'as pris !

ÈVE

Je ne sais pas. *(Un silence. Elle se rapproche de lui.)* Est-ce que tu as envie de moi ?

ADAM

Si tu ne t'arrêtes pas de parler comme ça, je te jure que je te... déshabille... et que je te flanque une fessée.

ÈVE

Oh, déshabille-moi... Je t'en prie !

ADAM

Comment fait-on ?

ÈVE *se serre contre lui*

Je ne sais pas... Cherche... Prends-moi dans tes bras...

ADAM

Et après... *(Il la prend.)*

ÈVE

Lâche-moi. *(Il la lâche.)* Non... Prends-moi encore. Emmène-moi...

ADAM

Où veux-tu que je t'emmène ? *(Ils se dirigent vers la gauche.)*

ÈVE

Je ne sais pas. Tu veux m'embrasser ?

ADAM

Je veux bien. Tiens... *(Il lui caresse les cheveux.)*

ÈVE

Ça ne doit pas être ça. *(Il l'embrasse.)* Mon chéri !

ADAM *sursaute*

Quoi ? Mon chéri... ! Viens ! Viens immédiatement ! *(Ils sortent enlacés.)*

DIEU, *après un temps*

C'est bien difficile de penser à autre chose quand on sait par hypothèse tout ce qui se passe, sans exception...

SCENE V

Dieu, les Anges. Ils s'amènent sur la pointe des pieds et traversent la scène pour aller voir ce que deviennent Adam et Eve.

CHŒUR DES ANGES

Suivons ces êtres instructifs
Qui ne sortent point sans motif...

DIEU

Sacré nom d'une pipe, voulez-vous rester là ! Bande de voyous !

CHŒUR DES ANGES

Mais nous n'avions point l'intention
De vous désobéir, patron !

UN ANGE, *à part (parlé)*

On dirait que le règlement
Vient d'entrer en application
Avec quelques perfectionnements.

UN AUTRE ANGE *(parlé)*

Si ça doit continuer comme ça
Avec des tas d'interdictions
Vivre deviendra... délicat.

UN AUTRE ANGE *(parlé)*

Délicat, mais intéressant.

CHŒUR DES ANGES *(très faux)*

Chantons, chantons, chantons, chantons Notre-Seigneur!
Il a un Paradis à la hauteur !

DIEU

Fermez ça, c'est faux ! Allez, rompez ! *(Ils sortent au pas de l'oie.)*

SCENE VI

Le Serpent et Gabriel. Le Serpent rentre, l'air d'un enfant réprimandé et qui s'en fiche. Un peu boudeur. Suivi de Gabriel. On les entend se disputer en coulisse.

GABRIEL

Enfin, quoi ! Vous trouvez ça malin ?

SERPENT *lui tournant le dos*

Vous m'embêtez.

GABRIEL

J'ai failli la recevoir dans l'œil et elle a cassé trois châssis-couches.

SERPENT

Vous ne pensez qu'à vos châssis-couches.

GABRIEL

Vous êtes le personnage le plus insupportable que j'aie jamais vu. La prochaine fois que je vous reprends à me flanquer une pomme à la figure, je vous jure que je vais lui dire.

SERPENT

Il a d'autres chats à fouetter. Et puis d'abord, ce n'est pas moi qui l'ai lancée cette pomme.

GABRIEL

Qui est-ce alors ? Adam ?

SERPENT

Qui voulez-vous que ce soit ?

GABRIEL

Ce n'est pas Adam qui est venu vous chercher, tout de même !

SERPENT

Mais non, ce n'est pas lui. Mais je m'embête à la fin ! J'en ai assez ! Je suis toujours seul ! Tout le monde m'engueule. Tout le monde me tombe sur le dos, vous croyez que c'est une existence ?

GABRIEL

Enfin, vous ne manquez de rien... Vous avez tout ce ce que vous voulez !...

SERPENT

Non...

GABRIEL

Qu'est-ce que vous voulez ?

SERPENT *hésite puis se décide*
Une panoplie de pompier.

GABRIEL
Ne vous moquez pas de moi...

SERPENT
Mais je ne me moque pas de vous !... *(Une panoplie de pompier tombe du ciel.)* Oh ! Ma mère ! Qu'est-ce qui m'arrive ?

GABRIEL
Vous avez dû le vexer ou lui déplaire.

(Le Serpent ramasse la panoplie et l'examine avec attention.)

SERPENT
Qu'est-ce qu'il veut que je fasse de ce système-là ? Quel vieux shnock ! *(Il la jette.)*

GABRIEL
Allons, allons. Ne recommencez pas à mal parler de votre oncle vénéré...

SERPENT
Ça va, ça va... Je le connais le coup de l'oncle. Ça lui ferait honte de le dire, que je suis son fils !...

GABRIEL
Allons ! Malheureux !... Mais qui vous a dit ça ! Taisez-vous donc, voyons ! Vous n'êtes pas raisonnable, mon petit !

SERPENT
Oui, je le sais que je suis son fils. Oui, je le sais que ma mère s'appelait Lilith. Oui, je le sais que j'aurai jamais ni frère ni sœur, parce qu'il a autre chose en tête en ce moment. Eh bien, j'en ai assez, moi. Si je suis un bâtard,

qu'on me mette à la porte. C'est pas drôle. Je vous répète... C'est pas drôle ! Et pour une fois que j'essaie de faire une bonne blague aux deux idiots là-bas, tout rate et, par surcroît, vous m'engueulez... Eh bien zut, zut... Je m'en vais... *(Il essuie une larme.)* C'était pourtant une bonne blague, le coup du fruit de la connaissance ? Et ils n'ont pas marché une seconde...

GABRIEL

Qu'est-ce que vous faites ? Restez là, voyons !...

SERPENT

Non... faites-moi sortir d'ici... J'en ai assez... Je m'embête... Flanquez-moi à la porte, Gabriel... Je vous en prie... Gabriel... je vous en prie...

GABRIEL

Allons, allons... Cessez donc de remâcher de vieilles histoires auxquelles ni vous ni moi ne pouvons plus rien... Prenez sur vous...

SERPENT

Je veux bien. Mais qui voulez-vous que je prenne sur moi ?

GABRIEL

Voyons... voyons, pas de plaisanteries déplacées... Vous ne courez aucun danger de ce côté-là...

SERPENT

Evidemment, et vous trouvez que c'est malin de se trouver dans cet état-là devant un bonhomme et une bonne femme qui ne pensent visiblement qu'à ça toute la journée ?... mais je vous jure que j'aimerais mieux m'en aller...

GABRIEL

Allons, allons... Adam et Eve sont aussi innocents qu'au jour de leur naissance.

SERPENT

Sans blague ! Eh bien, allez les voir, tenez... vos innocents !

GABRIEL, *inquiet, fait quelques pas*

Mais non... enfin... Ecoutez... Ce n'est pas possible...

SERPENT

Allez, je vous dis. *(Gabriel sort.)*

SCENE VII

Serpent seul.

SERPENT

Ah oui, ils sont aussi innocents que le jour de leur naissance ! Tu vas voir ça, mon vieux Gabriel... Vieux voyeur... Tu es ravi au fond... Ça te distraira. C'est qu'on s'embête ferme dans ce fichu établissement. *(On entend Gabriel qui revient en grommelant. Il avance suivi d'Adam et Eve).* Tiens, il a dû les trouver tout de même...

SCENE VIII

Gabriel, Adam, Eve, le Serpent.

GABRIEL

Enfin, c'est scandaleux... insensé... Où est-ce que vous vous croyez ? Dans un jardin de passes ou au Paradis ?

ADAM

Qu'est-ce qui vous arrive ? Ça vous regarde ? On a des tas de trucs dont on ne sait pas quoi faire... Pour une fois qu'on réussit à en savoir un peu plus long... Moi, je veux bien lui rendre ses doigts de pied, au vieux, vous savez... Ça, c'est bien d'accord, ça ne sert à rien...

GABRIEL

Bon. Eh bien mon ami, vous pouvez faire vos paquets... parce que je vous préviens... Le patron ne veut pas d'enfants ici... Ni enfants... Ni animaux... alors, vous savez ce qu'il vous reste à faire...

ÈVE

Et si on veut des enfants... des adultères... des cinq à sept... des samovars... des pendules... des rez-de-chaussée... des porto-flip.

GABRIEL

Mais enfin, ma petite, est-ce que vous vous payez ma tête par surcroît ?

ADAM

Laissez-la. Si elle veut des samovars, des pendules... et même des coupe-cigares, des punaises, des édredons et des pâtes épilatoires, ça ne vous regarde pas... vous nous ennuyez...

GABRIEL

Allez. Vous êtes fous, tous les deux. Sortez d'ici. N'insistez pas.

ADAM

Parfaitement on sortira d'ici... Travail, famille, patrie ; le pain, la paix, la liberté, vive l'armée rouge, vive le général de Gaulle, vive la Révolution française... Allons enfants de la Patrie, dans les petits pots les bons onguents !

ÈVE

Et j'aurai des aspirateurs et des lessiveuses, et des engelures et des services de table, et des métrites et des aiguilles à tricoter !... *(Ils sortent.)*

ADAM *dont la tête réapparaît*

Et des chapeaux Eden !

SCENE IX

Gabriel. Le Serpent.

SERPENT *se met à pleurer*

Voilà. Je suis tout seul... Je suis tout seul... Ils ne m'ont même pas regardé... Et ils ne m'ont même pas dit au revoir. Personne ne m'aime... Personne ne m'aime... *(Gabriel lui pose une main sur l'épaule.)* Laissez-moi, vous, vous êtes méchant ! Vous êtes un sale vieux bonhomme... allez... allez lui greffer ses rosiers... Je suis tout seul.. *(Gabriel hausse les épaules, accablé.)* Personne ne m'aime... Personne ne m'aime.

GABRIEL, *affectueux*

Enfin, mon petit, ne pleurez pas comme ça.

SERPENT

Oh ! Je suis si malheureux ! *(Gabriel s'approche de lui, le tapote et s'énerve un peu. Le Serpent redresse la tête, l'air malin.)* Gabriel, emmenez-moi faire un tour !...

GABRIEL *que le Serpent mène par la main*

Allons... Du calme... du calme...

SERPENT

Venez, on va jouer à Adam et Eve...

GABRIEL *haut-le-corps*

Oh ! Vous n'avez pas honte !

SERPENT

Vous avez déjà mangé des pommes ?

(Le rideau tombe choqué.)

SCENE X

Le Chœur des Anges. Dieu.

CHŒUR DES ANGES *(Ils arrivent en sautant tous sur place)*

S'il avait su... S'il avait su !...

DIEU

Je n'me s'rais pas donné cette peine
Mais j'n'ai pas pu

LES ANGES

Mais i'n'peut plus
Il est pris à ses propres chaînes.
Ah ! C'qu'on s'embête au Paradis.

DIEU

Bon Dieu, comme je voudrais qu'ça change !

ANGES

Ah, c'qu'on s'ennuie
L'jour et la nuit
A écouter le chœur des han-han-han-ges...

Réapparaissent Adam et Eve tenant un moutard braillard. Ils passent devant Dieu et les Anges suffoqués et les toisent avec dédain.

RIDEAU

ÇA VA, ÇA VIENT

1951

Nous avons regroupé dans la notice relative à Dernière Heure *(p. 259) les informations sur* Ça vient, ça vient *et d'autres spectacles d'anticipation et, plus généralement, sur les tentatives de Boris Vian s'efforçant d'introduire la science-fiction au cabaret.*

N.A.

La Compagnie de la Rose Rouge

présente

ÇA VIENT, ÇA VIENT

Une anticipation de Boris Dupont
sur des thèmes déjà dans l'air

Un rideau ou une pancarte amené par robot portant uniquement :

1981

suivi d'un lever de rideau, comme de juste, sur la salle de rédaction du *Saturnien libéré.*

PROLOGUE

DÉCOR : *Salle de rédaction du* Saturnien libéré. *Morasses, bureaux, journalistes, secrétaires, machines à écrire, le tout dans un beau désordre.*

Un robot tapeur à la machine à qui plusieurs journalistes peuvent dicter simultanément.

Le rédacteur en chef achève de lire un article et fronce le sourcil. Le journaliste se tient devant lui plein d'espoir.

RÉDACTEUR

Qu'est-ce que vous m'apportez là, encore ?

JOURNALISTE

C'est un papier sur la découverte des puits de pénicilline bleue sur Saturne, chef.

RÉDACTEUR, *tonnant.*

Mais je m'en fous, moi, des puits de pénicilline de Saturne... qu'est-ce que vous voulez qu'on en fasse, de la pénicilline de Saturne... ça n'intéresse plus personne, mon pauvre vieux.

JOURNALISTE

Mais c'est de la pénicilline bleue, chef...

RÉDACTEUR

Bleue ou pas bleue, je m'en tape... il y a longtemps que personne n'a plus le cancer, voyons mon ami...

JOURNALISTE

Mais c'est pas pour le cancer, patron... c'est pour la gueule de bois !...

RÉDACTEUR

Assez ! Est-ce que vous croyez que *le Saturnien libéré* vous paie pour empoisonner les gens avec vos découvertes à la noix ? C'est pas ça que veut le public... c'est du fait divers, du bon fait divers...

(*S'approche un autre journaliste qui tend timidement un papier — il lit.*)

RÉDACTEUR

On pourra désormais aller de Paris à Marsopolis en six heures par le super Comet.

(Il déchire le papier.)

Je m'en fous, Durand ! Je m'en fous... et je ne suis pas le seul... c'est pas de l'actualité, ça... c'est... c'est de la drouille...

(*Troisième journaliste femelle tend un papier.*)

La fille de Martine Borgia, Caroline Carol, tente de se suicider en se trempant les pieds dans une cuvette de bracamort vénusien... Ah ! A la bonne heure... comment vous appelez-vous, vous ?

JOURNALISTE

Asdrubine, monsieur.

RÉDACTEUR, *au robot.*

Prends ça et tape ça, toi... c'est pour la première avec un titre sur cinq... à composer en huit... parfait... il y a des photos ?

ASDRUBINE

Oui, chef...

(*Elle lui tend des photos.*)

RÉDACTEUR

Idéal ! Merveilleux ! Celle-là !

(*Il lui passe la main sur les fesses.*)

Toi, tu as compris ton métier... Fais-moi penser à t'augmenter le mois prochain...

ASDRUBINE

On est le 30, chef...

RÉDACTEUR

Heu... eh bien... le mois suivant alors...

(*Prend un autre papier.*)

De son petit pied-à-Mars, le président Auriol annonce qu'il ne se représentera décidément pas aux élections de 1981... hum... ça peut aller pour la dernière heure... pas fameux mais enfin...

(*Regarde les journalistes.*)

C'est tout ?

(*On lui donne d'autres papiers.*)

Bon... Bon... Ça va, ça... En première... Ça en page 3... Allez... fini... Ouf... heureusement qu'on avait le leader de tête... Ce vieil Everest ! Enfin, on va pouvoir boucler à cinq heures... Quelle corvée, mes enfants... remuez vos culs, sacré nom... on n'est pas sur la lune, ici... et rappelez-vous, bon sang... le *canard tombe à cinq*... à cinq !...

(*Le rideau tombe et le canard apparaît effectivement.*)

le générique = credits / credit titles

1er GÉNÉRIQUE

Un tour de crayon rouge autour d'Everest

LE SATURNIEN LIBERE 20 mars 1981

L'EVEREST REMONTE

Un groupe d'audacieux alpinistes américains décide afin de battre le record de prolonger l'Everest de 200 mètres.

CAROLINE CAROL SE SUICIDE

La fille de Martine se trempe les pieds dans une bassine de bracamort de VENUS ! ! !

LE RIDEAU DE FER ROUILLE

VERS LA DETENTE A PAN MUN JON

BARTALI :

JE NE COURRAI PAS LE TOUR 1981

LE MARTIEN PATOZEK court le 200 000 m haies en 20'45"

1er TABLEAU

Enchaînement. — Une voix bredouille et lit les divers titres : mm... mm... L'Everest remonte... L'Everest remonte... demandez les dernières nouvelles...

Le rideau se lève sur le bureau de l'Alpiniste Club. Salle sobre. Portrait de l'Everest au mur. Avec Hillary, Tensing, etc. Objets divers : godasse empaillée, piolet cassé, etc.

JACK

Les enfants, c'est décidé. J'ai trouvé la solution.

YVES

Allez-y, chef... On vous écoute.

TOM

Causez...

JACK

Pas la peine de le nier... depuis 28 ans, de quoi on a l'air, nous, les Américains...

TOM

On a quand même construit la première station planétaire, chef...

JACK

Ça n'existe pas... d'ailleurs, le public s'en fout. Tandis que les ascensions, ça l'intéresse toujours... et celle de l'Everest particulièrement...

YVES

Mais c'est cuit, l'Everest, chef...

JACK

Un moment, le Français. T'emballe pas. J'avoue qu'on n'a pas eu de chance : le sommet le plus élevé de Mars fait à peine deux cents mètres, sur Saturne on arrive à 3 000... en forçant... Vénus, n'en parlons même pas... Quant à Mercure, vraiment, ça ferait rigoler les gens... Non... Le seul, c'est l'Everest... On n'en sort pas... Mais il n'y a qu'un malheur... C'est que ça ne fait que 8 843...

YVES

A peine, chef. Ça s'use. Vachement.

JACK

Eh ben, si vous êtes d'accord, les gars, demain, ça fait neuf mille et des poussières...

TOM

Sans blague...

JACK

Demain, la General Motors me livre le truc. Demain, les enfants, je reçois le groupe frigorifique que j'ai commandé en 72... Onze ans de mise au point.. Pas besoin de vous dire que je n'ai plus un dollar...

YVES

Ça va de soi, chef...

JACK

Mon dernier divorce avec ZsaZsa m'a saigné... Vous le savez... Mais demain, le groupe sera là... Demain, on charge le camion... Yves... C'est toi qui pilotes...

YVES

Nature, chef... C'est mon job.

JACK

Le groupe une fois en place, on le met en marche... La glace s'accumule au sommet... Huit jours après, ça fait

200 mètres de plus... On grimpe et on a repris le record à ces pourris d'Anglais...

TOM

Ben, y en a une qui va faire une tête.

JACK

Qui ça ?

TOM

La vieille couine... Elisabeth, pardi !

JACK

Ça... tant pis... Les gars... un moment... y a du danger...

YVES

Ah, ça nous fait pas peur...

JACK

Bon... Tu vas voir... Le grand-père Herzog est sur l'affaire...

YVES

Quoi... l'ancêtre qui a escaladé Lana Turner... Pardon l'Annapurna en... 50, 51, je ne sais plus ?

JACK

Parfaitement. La fille d'Herzog est partie il y a huit jours... avec un camion de trinitrotoluol...

TOM

Aïe... Ça fait mal...

JACK

Leur plan est simple... Ils veulent faire sauter l'Everest... et toc, le record leur revient du coup...

YVES

Pas bête, la fille Herzog !

JACK

Pas bête, mais on est là... Les gars... vous m'entendez... C'est mes dernières cartouches...

cartridges

TOM

Dites voir, chef ?

JACK *(martèle la table)*

Il faut pas qu'ils arrivent...

(Les deux autres se lèvent et crachent par terre.)

YVES

Ils arriveront pas, chef...

RIDEAU. — Annonce ou Edition spéciale de *Mercure-Soir...*

DERNIERE SPORTIVE
A L'ASSAUT DE L'EVEREST
ARRIVERONT-ILS ?
L'expédition organisée par le célèbre alpiniste amateur Jack du Pont de Nemours se lance à la poursuite des camions d'Herzog sur les pentes glacées du Toit du Monde...

2e *TABLEAU*

Pentes glacées de l'Himalaya. Piste sur laquelle tangue le camion — Musique de poursuite genre Guillaume Tell...

Camion type Salaire de la peur.

Dedans, Yves et Tom, Yves conduit avec l'admirable simplicité d'un vrai petit Montand.

TOM

Dis donc... Si ça barde !...

YVES

Comment ?

TOM

Heureusement qu'il y a des pneus... la route est vraiment pas fameuse...

YVES

Qu'est-ce qu'il te faudrait ? du lino ?

TOM

Non, mais quand même... Oh... fais gaffe...

(Manœuvre habile, Tom retombe en s'épongeant le front.)

YVES

Quoi... C'est rien, ça... Une crevasse à la noix.

TOM

Oui...

(Il paraît malade ; soudain au-dehors, terrible hurlement. Tom se jette contre Yves.)

Qu'est-ce que c'est ?

YVES

Ah, laisse tomber... C'est l'abominable homme des neiges...

TOM

T'es sûr ?

YVES

Mais dis donc... Regarde-moi un peu, toi... Ma parole... Mais t'as la trouille...

TOM

La trouille... moi ? Tu rigoles ! *(Il crâne mais se rejette sur Yves qui manœuvre sec.)* Maman !

YVES *(les dents serrées)*

Un jaune ! Tu fais dans ton froc... T'as la trouille, je te dis...

TOM

Non...

(Le camion prend un virage et se redresse.)

YVES

T'as vu ?

TOM

Quoi ?

YVES

Leur fumée... là-haut ?...

TOM

Qui ça... Herzog ?

YVES

Ben qui d'autre ? Mince... ils sont gonflés... Ils foncent...

TOM

Va pas trop vite... des fois qu'ils explosent...

YVES

C'est toi qui me dis ça... Bon sang ! Une lavette ! C'est une lavette que je trimbale !

TOM

T'es rosse, Yves...

YVES *(le calotte)*

Tiens, trouillard... tu me dégoûtes.

TOM *(pleure à chaudes larmes)*

Tu m'as fait mal... Tu m'as fait mal...

YVES *(virage terrible)*

Tu m'écœures... puisque c'est comme ça, je te le montrerai pas, mon ticket de métro Pigalle !

(Leur camion disparaît — Entre en scène de l'autre côté, de profil, le camion Herzog. La fille au volant. Son coéquipier se retourne de temps à autre. Un abominable homme des neiges tourne en décor de fond sur tambour sans fin.)

FILLE

Ça va ?... Où en sont-ils ?

ANDRÉ

Champignonne, ma vieille... i sont pas loin...

FILLE

Tu crois que c'est marrant, avec le chargement qu'on trimbale ?

(choc terrible.)

Putain de route !

ANDRÉ

Ah, vas-y, fonce... Faut qu'on arrive quand même.

FILLE

Faut qu'on arrive, mais entiers...

ANDRÉ

Pense à ton père, quoi... Depuis le temps qu'il l'attend son record...

FILLE

Justement... il aurait bien pu attendre encore quelques années... Le temps de clamser.

ANDRÉ

Ah, tu me débectes... T'as pas le moindre enthousiasme...

FILLE

C'est pas une manière de battre un record, de faire sauter celui du dessus...

ANDRÉ

C'est la méthode française ! De l'esprit, toujours de l'esprit ! Le triomphe de l'esprit sur la matière ! *(Arrêt terrible, il s'écrase le nez sur la vitre.)* Mon tarin !

FILLE

C'est la revanche de la matière, vieux... Vise ces madriers... Tu crois qu'on va passer ?

ANDRÉ

Vas-y sans regarder... Fonce... Et pis on les retire... On les fait sauter... Ça fera plus de fumée... Ça manque, ici...

FILLE

Alors, on y va... molo... molo...

(Ils passent sur la pointe des pieds et s'arrêtent de l'autre côté — André redescend, prend un paquet de TNT et le met sous le madrier. Petite explosion ridicule. Le camion disparaît par le fond au moment où arrive l'autre.)

ANDRÉ

Toute la gomme !

YVES

Bon Dieu ! Ils ont fait sauter le pont ! *(Tom se trouve mal.)* Allez ! Réveille-toi ! Réveille-toi, sacré nom ! *(les dents serrées)* Ah... tu veux pas te réveiller, mon bonhomme...

(Il le descend du camion, le met en travers de la crevasse et passe en le piétinant joyeusement. Puis disparaît à la suite du camion Herzog.)

3e TABLEAU

Nuit complète. Arrivent les camions à la lueur des phares. Le camion Herzog passe dans un bruit de tonnerre, puis le camion Yves.

YVES

Arrêtez ! Arrêtez ! Je vais tirer ! Arrêtez ! Arrêtez, Bon Dieu !...

Ah... tant pis...

(Il tire des coups de revolver, explosion formidable au loin... Il s'essuie le front dans l'aube naissante, et descend.)

Bon Dieu... Il va falloir continuer à pied...

(Du camion, il décharge une énorme caisse marquée : FRIGORIFIQUE TYPE EVEREST - Haut - Bas - Milieu - Côté à n'ouvrir sous aucun prétexte, etc.)

YVES *(la soulève)*

Pas possible... J'y arriverai pas... Et la route est coupée... C'est la seule solution... Foutu ! Je suis foutu.

(Il s'écroule sur la caisse, anéanti. Surgit un petit bonhomme, le sherpa Tensing.)

TENSING

Ça va pas, monsieur ?

YVES

Qu'est-ce que tu fous là, toi ?

TENSING

J'ai entendu le bruit... Alors je suis venu voir... Vous voulez un coup de main ?

YVES

Ah, y a rien à faire... Faut que je monte ça au sommet... Tu te rends compte... et la route est coupée...

TENSING

Ben c'est rien, ça... Grimpez sur mon dos... Allez...

YVES *(obéit machinalement)*

Quoi... T'es fou, non...

TENSING

Attrapez ça ! *(Il lui envoie la caisse.)*

YVES

Non mais sans blague... Tu vas te crever, vieux.

TENSING

Vous permettez... J'ai l'habitude... La dernière fois j'en ai porté un drôlement lourd... Hillary, il s'appelait... Oh, c'est vieux... Il est gâteux, maintenant...

YVES

Comment que tu t'appelles ?

TENSING

Tensing... Le sherpa Tensing comme ils disent... *(Il démarre.)* Les voyageurs pour l'Everest... en voiture...

(Il disparaît au petit trot.)

RIDEAU

2ᵉ *GENERIQUE*

Un tour de crayon rouge Bathyscaphe

MARS DIMANCHE 15 juin 1981

MONSIEUR TRIQVELVE PRESIDENT DE L'ETAT LUNAIRE, NOUS DIT

L'expression C... comme la lune est inamicale et risque de causer des tensions interplanétaires violentes.

(Voir page 85.)

SATURNE 1ʳᵉ DIVISION S'INCLINE DEVANT LE RACING
par 1000 buts à 3

YVES ROBERT
quitte la
COMEDIE-FRANÇAISE

DEUX BATHYSCAPHES ENTRENT EN COLLISION

Sur la place de l'Opéra Sous-Marin de Gibraltar, cinq noyés graves. Le préfet de police annonce des mesures pour améliorer la circulation : TAXES ACCRUES SUR L'ESSENCE.

SCHUMAN PROPOSE POOL DU COKE
30 % d'économie

Pour son prochain concert du 35 juin le petit Roberto Benzi portera des pantalons LONGS -

C'est Raymond Queneau qui accueillera demain jeudi Boris Vian sous la Coupole...

TABLEAU UNIQUE

Le fond de l'eau, détroit de Gilbraltar. Piétons en scaphandre ou cloche à plongeur individuelle. Agent de police en scaphandre à moustaches. Petite circulation. Bruits de klaxon terribles, embouteillage monstre au loin, les gestes des gens sont souples, comme dans l'eau. Tulles verts.

AGENT

Ah, bon Dieu de bon Dieu, voilà que ça recommence... Pas une minute de tranquillité, sacré nom !

(Il ne bouge pas.)

PASSANT *(s'arrête)*

Quand est-ce qu'on se décidera à interdire ces sacrés klaxons...

AGENT

Ouiche... Eh bien mon bon monsieur, depuis le temps qu'on en parle... Mais voilà, le code c'est le code... Un bathyscaphe doit être muni d'un avertisseur... C'est dans le code... Et ils s'en servent ! Ça, ils s'en servent !

PASSANT

C'est à vous rendre fou !...

AGENT

Tenez... Moi, une supposition que j'aurais des rentes... Je vous jure bien que je ne moisirais pas ici... A la campagne, que je m'en irais... A Paris... Place Saint Augustin...

PASSANT

Oh... Il ne faut pas tomber d'un extrême dans l'autre, écoutez... C'est sinistre !

AGENT

Je sais bien... Il y a un peu trop de soleil... Les pigeons... Et puis l'air est sec... Ça il est sec... Mais qu'est-ce que vous voulez, là-bas, au moins, on peut dormir tranquille !...

PASSANT

Ah, vous avez raison... Mais moi, ma femme ne supporterait pas ça... Non, il lui faut la foule, que voulez-vous... Mais tout de même, ici, c'est un peu trop passant... *(Concert de klaxons.)* Moi je rêve de la fosse des Canaries...

AGENT

Les voilà qui recommencent, les sauvages... Je vous jure, moi, mon père il a connu le temps qu'il y avait plein de gens à Paris... Eh bien, il m'a toujours dit que j'avais de la chance... Moi, je suis pas d'accord. Vrai, ici, je deviens dingue, parole !

(Bruit d'emboutissage affreux.)

Et allez donc... En voilà encore deux qui se rentrent dedans... Non... Non... C'est rien... Ils ont freiné à temps...

PASSANT

Ce n'est que partie remise... *(Il ricane.)* Les abrutis... *(Il va pour traverser.)* Au revoir !

(Au moment où il traverse, un bathyscaphe arrive grande vitesse — crissement de freins affreux — un autre bathyscaphe qui suivait emboutit le premier. Les deux chauffeurs descendent et commencent à engueuler le 2e et le 1er passant.)

2e CHAUFFEUR *(femelle)*

Vous pouvez pas tirer la queue à votre hippocampe quand vous vous arrêtez, non !

1er CHAUFFEUR

Ah ! Vous, la barbe ! Si cet imbécile n'avait pas traversé sans regarder !

1er PASSANT

Comment cet imbécile... C'est à moi que vous causez, chauffard ?

1er CHAUFFEUR

Un peu, que c'est à vous... Ça traverse sans même regarder... et en dehors des homards, encore...

2e CHAUFFEUR

En attendant, j'en ai pour vingt mille balles de calandre... Et je suis sûr que mon radiateur est plein d'eau... C'est fort... C'est très fort...

1er CHAUFFEUR

La barbe...

AGENT *(s'approche)*

Qu'est-ce que c'est, encore ?

(Tous volubiles.)

PASSANT

C'est cette andouille qui...

1er CHAUFFEUR

Il traverse sans même regarder.

2e CHAUFFEUR

Quand y a un homme au volant on est sûr de ce que ça donne...

AGENT

Assez ! Un peu de silence... *(A la femme)* A vous de causer...

1er CHAUFFEUR

C'est une honte... Les hommes conduisent aussi bien que les femmes.

PASSANT

Ces brutes de chauffards vous écraseraient comme...

AGENT

SILENCE ! *(Au passant)* Vous... Je vous dresse contravention vu que vous n'avez pas traversé entre les homards ! *(Au 1er chauffeur)* Vous, de la même façon, vu que vous avez freiné au lieu d'écraser cet imbécile qui était dans son tort... *(Au 2e chauffeur)* Vous pouvez circuler... passez là pour le constat, dégagez la voie s'il vous plaît, vous serez bien aimable !

PASSANT

Comment ! Mais c'est une honte ! Nous sommes en république ! Je me plaindrai ! Je me plaindrai ! Parfaitement ! Enfin... C'est insensé !... Quel culot !

AGENT

Je vous conseille de vous taire, vous... Vous m'échauffez les oreilles... Par ici, Madame...

PASSANT

C'est monstrueux ! Oh !

(L'agent siffle un coup.)

Mais je vais écrire au préfet maritime ! Aujourd'hui même.

(On entend un bruit de sirène, apparaît une sirène à matraque.)

AGENT

Menez-moi cet olibrius au poste.

SIRÈNE

Allez ! Hop !... *(Elle l'embarque gesticulant.)*

AGENT

Ah, là là... et il faut encore que je fasse mon rapport... A l'air... A l'air... Ici l'agent d'eau salée Dumas... A l'air...

RIDEAU

3e *GENERIQUE*

MERCURE-SOIR — 10 juillet 1981

REVOLUTION DANS LE CINEMA COULEUR ET RELIEF INTEGRAUX

LES

COMEDIENS

SUR

SCENE ! ! !

La découverte du professeur Crétin.

(Suite page 107)

INNOVATION SENSATIONNELLE

A PARTIR DE 1984 LA TRACTION SERA LIVRABLE EN ROUGE ET BLANC DANS LA LIMITE DES QUANTITES DISPONIBLES.

GREVE DES ROBOTS VIDE-ORDURE

Les manifestants réclament 1 litre d'huile épaisse par mois.

(Suite page 2)

SEBEILLE :

J'aurai Dominici

Lurs rebondit

---

394 LOGEMENTS NOUVEAUX EN 1982 annonce la Reconstruction.

Un effort considérable.

(Voir page 55)

DEPARTS REGULIERS POUR MARS

L'Amiral Ananoff évoque les débuts difficiles de l'astronautique.

EN AVANT, MARS

1er TABLEAU

DÉCOR : *Le bureau de recrutement terrestre de la Légion Martienne. Au mur, affiches : Engagez-vous — Rengagez-vous dans la Légion Martienne. Buste de la République, drapeau français, le tout sale et poussiéreux.*

Un adjudant en uniforme d'adjudant de la Légion Martienne, assis à une table, lit son journal en chantant la Java Martienne.

ADJU

C'est la java martienne
La java des amoureux
En fermant nos persiennes
Je nous revois tous les deux
Ta main dans ma main
Ta Tsin, ta la la
Ça Mars toujours, Ça Mars encore
Ta la Tzin ta tzin
Ta tzin, ta la la
Ça Mars à tour de bras.

(Apparaissent deux civils jeunes, un mâle et une femelle, du type recrue. Ils frappent.)

ADJU

Entrez !

CIVIL

Pardon... C'est ici qu'on s'engage ?

ADJU

Mon adjudant !

CIVIL

Comment ?

ADJU

Dites Mon Adjudant !

CIVIL

Pardon, mon adjudant... C'est ici qu'on s'engage ?

ADJU

C'est ici, parfaitement.

CIVIL

On voudrait s'engager...

ADJU

C'est votre droit le plus strict !

CIVILE

C'est même notre devoir...

ADJU

Naturellement !

(Un temps.)

CIVILE

Alors ?

ADJU

Alors quoi ? *(aboie)*

CIVILE

Alors qu'est-ce qu'on fait pour s'engager ?

ADJU

Qu'est-ce que c'est que cette histoire... Vous avez juré de me faire perdre ma matinée, vous, alors...

CIVIL

Enfin, m'n'adjudant, on veut s'engager dans la Légion Martienne, on vous dit.

ADJU

Vous voulez aller là-bas ? Avec tous ces Martiens rouges et jaunes qui sentent mauvais ?

CIVIL

Hé... J'ai vu des Martiennes pas mal.

CIVILE

Ils ont de beaux gars...

ADJU

De beaux gars... Des échalas de cinq mètres de haut... A la vôtre. Et les fièvres martiennes ? Ça ne vous fait pas peur ?

CIVILE

Y a le vaccin du docteur Claoué...

ADJU

Ah, parlons-en, oui ! Ça ou rien... *(Il ricane.)* Moi qui vous cause, vacciné ou pas, je les ai eues onze fois, les fièvres.

CIVIL *(admiratif)*

Onze fois !

ADJU

C'est comme ça ! Et le fromage Martien ? Ça vous fait pas peur ?

CIVILE

Il ne court pas beaucoup plus vite qu'ici...

ADJU

Attendez de le voir !

CIVIL

Enfin vous êtes là pour encourager les gens à s'engager, ou les empêcher ?

ADJU *(soupçonneux)*

Dites donc, vous... Qu'est-ce que vous allez insinuer là... J'aime pas beaucoup ça, vous savez...

CIVIL

Où est-ce qu'on signe ?

ADJU

Où est-ce qu'on signe ? *(Ricane.)* Ah, vous êtes formidables, vous deux... Ça je vous jure, vous êtes formidables... Ils s'amènent et ils vous demandent où est-ce qu'on signe... Comme ça... Simplement... Formidables...

CIVILE

Qu'est-ce que ça a d'extraordinaire ?

ADJU

Et les tests, alors ? Vous savez pas qu'il faut passer des tests, pour aller sur Mars ?

CIVIL

Eh bien, faites-les-nous passer.

ADJU

Voilà. Ça s'amène, ça se présente... Et il faudrait leur faire passer les tests. C'est formidable, je vous assure...

(Il hoche la tête et appelle.)

Martin ! Caporal Martin !

(Paraît le caporal.)

CAP

A vos ordres, n'adjudant.

ADJU

Apportez-moi la boîte à tests et les tréteaux à tests... *(Il ricane.)* Ah, vous voulez passer les tests. Je vais vous en donner, moi... Des tests... Non... Ça, c'est vraiment champion... *(Le caporal réapparaît.)*

(Martin qui pousse une table à roulettes sur laquelle est une grosse boîte.)

ADJU

Etendez-vous là... *(La civile y va, il la retient.)* Non ! Vous d'abord ! *(Ricanement.)* Des tests !... *(Il boucle des courroies aux mains et aux pieds du civil puis saisit dans la caisse un énorme maillet.)*

Fermez les yeux ! *(Le civil obéit, l'adjudant lui assene sur la main un formidable coup de maillet.)*

CIVIL

Ayayaye ! Oh ! Cré nom de Dieu ! Mais vous êtes fou !

ADJUDANT

I veulent des tests... On va leur en donner, hein, Martin...

MARTIN

Oui, n'adjudant...

ADJUDANT

L'aiguille... *(Martin lui passe l'aiguille, l'adjudant choisit soigneusement son endroit et lui plante l'aiguille dans l'oreille. Hurlement du civil.)*

Ça va ! Il a pas les oreilles bouchées ! La suite Martin. *(Martin lui tend un rouleau à masser et divers objets hétéroclites — gags à trouver —. Le civil continue à protester.)*

Bon... Eh ben... Ça va... Maintenant, les épreuves orales... *(Il déboucle les courroies, le civil s'assied tout meurtri.)*

CIVIL *(maugréant)*

Eh ben... Si on m'avait dit que c'était ça...

ADJUDANT

Et c'est qu'un avant-goût ! Attendez d'être sur Mars... Vous allez savoir ce que c'est qu'une sangsue Martienne... Et les poux de Mars... Martin... Tu te rends compte !

MARTIN

Ça, m'n'adjudant, on va se marrer !...

ADJUDANT *(brusquement)*

Cinq fois sept ? Allez... Vite...

CIVIL

Quarante-neuf.

ADJUDANT *(troublé)*

Hum. Dites-moi. Comment que ça ce fait que cinq fois sept, ça fait quarante-neuf sur Mars ? Hein ? Dites voir ? Tu ne trouves pas ça louche, toi, Martin ?

MARTIN

Bigrement louche, n'adjudant.

ADJUDANT

Un robinet débite dix litres à l'heure. En combien de secondes remplira-t-il un bassin de cent litres ? Attention... Il y a un piège, là...

CIVIL

En trente secondes.

ADJUDANT *(furieux)*

Bon ! Bon ! Si vous savez toutes les réponses, je n'insiste pas... Allez-y sur Mars... Mais vous le regretterez ! C'est moi qui vous le dis !

CIVILE

Et moi, je vais subir aussi les tests ?

ADJUDANT *(ricane)*

C'est malin... Comme si je ne savais pas que vous allez les réussir aussi... Vous me prenez pour un imbécile, hein... Dites-le...

CIVILE

Oui, n'adjudant... Où est-ce qu'on signe ?...

ADJUDANT *(rageur)*

Voilà vos feuilles... Et foutez-moi le camp... Non ! Pardon ! J'oublie le plus important... Vous entrez dans la valise ?

CIVIL

Naturellement...

CIVILE

Bien sûr...

ADJU

La valise, Martin ? *(Martin revient avec une grosse valise, l'adjudant l'ouvre.)*

Allez... Entrez voir là-dedans... Sinon, c'est pas la peine d'essayer de prendre la fusée... *(Le civil entre dans la valise en se jouant et ressort.)*

ADJU *(furieux)*

Bien... Signez là... et foutez-moi le camp...

(Ils signent, l'attitude de l'adjudant change brusquement. Il devient charmant. Les autres vont partir.)

Un instant, mes enfants... *(Ils se retournent, étonnés.)*

Puis-je vous souhaiter la bienvenue dans la Légion Martienne ?...

CIVIL

Mais...

CIVILE

Qu'est-ce qu'il a ?

ADJU *(sourire saint)*

C'est notre politique, mes enfants. Décourager les faibles... Et imposer aux forts des épreuves telles que leur passage est un gage de triomphe pour notre belle cause... Au revoir ! Et bonne chance !...

CIVIL

Au revoir !

CIVILE

Oh... Ce qu'il est gentil !...

(Ils s'éclipsent, l'adjudant, mélancolique les regarde partir en hochant la tête.)

ADJU

Débarrasse, Martin ! *(Il se remet à chanter.)*

C'est la java martienne
La java des amoureux...

RIDEAU

2e TABLEAU

Le terrain de départ de la Fusée, dit aussi fuséodrome. La fusée est là, posée sur sa triple queue. Elle a une petite porte et se trouve devant la porte du fond de la scène, si bien qu'il pourra y entrer bien dix personnes.

PANCARTE :

FUSEODROME D'ORLY DEFENSE DE CHIQUER

Le capitaine de la fusée, en spacesuit genre collant Musidora avec bottes et casque, astique un dernier coup son engin.

Paraissent le civil et la civile dans des tenues analogues.

CIVIL

Salut ! *(Il fait le salut militaire. Civile, même jeu.)*

CAPITAINE

Salut !

CIVILE

Vous êtes le capitaine ?

CAPITAINE

Sûr que je suis le capitaine, ça ne se voit pas ?

CIVILE

C'est bien parce que ça se voit qu'on vous le demande.

CAPITAINE

Un raisonnement idiot *(Il grommelle.)* Hum. Enfin soyez les bienvenus dans la Légion Martienne.

CIVILE

Quand est-ce qu'on part ?

CAPITAINE

Quand la fusée sera propre. Je ne vais tout de même pas amarsir sur Mars avec une fusée dégueulasse...

CIVILE

On peut vous aider ?

CAPITAINE

Naturellement, vous pouvez m'aider. Je me demande même ce que vous attendez. *(Il lui tend le chiffon.)*

CIVIL

Dites... Capitaine... Vous savez, on n'y connaît pas grand-chose... On a juste lu les journaux... Est-ce que c'est dangereux ?...

CAPITAINE

Dangereux ?... Hum... Ma foi, on a 99 chances sur 100 d'être volatilisés au départ...

CIVIL

Alors ? Comment on fait ?

CAPITAINE

On ne prend pas de risque... On profite de la centième chance...

CIVIL

On sera combien, pour ce premier voyage ?

CAPITAINE

Heu... Voyons... L'équipage... C'est moi... Le pilote... C'est moi... Le capitaine... C'est moi... Vous deux... C'est pas moi... Et quelques autres... Eh bien, on sera six ou sept.

CIVIL

Pas plus ?

CAPITAINE

Pas plus ? Et les cent tonnes de combustible spécial, alors ? Et la tête radar et les tuyères et les déflecteurs en graphite et les vivres et les couchettes amortisseurs et le frigidaire contratmosphérique et les fusées de nez pour le freinage et latérales pour la rotation et le retournement, et les bagages, ça ne vous suffit pas ?

CIVIL

Mais on n'a pas de bagages... C'est défendu...

CAPITAINE

Je vous remercie... Moi j'en ai...

CIVIL

Mais je croyais que le départ d'une fusée, ça faisait toute une cérémonie... Le président et tout ça...

CAPITAINE *(ricane)*

Ah, ouiche... Il a bien autre chose à faire, le président... Il reçoit Miss Univers, le président... Mais nous on peut crever... Oh, pour la première fusée, passe encore... Ils ont fait quelques frais... Maintenant, le moindre casseur a plus de publicité que nous...

CIVIL

Mais sur Mars ? Comment c'est ?

CAPITAINE

Comment voulez-vous que ça soit ? Vous verrez bien... On se fait suer, ça c'est pas croyable... Ah, là là, moi je le regrette, je vous jure, le camp de Fréjus.

(Apparaît un gars en collant l'air inquiétant — C'est Janot le cinglé.)

JANOT

Hé... C'est la fusée pour Mars ?

CAPITAINE *(continue)*

Là-haut, y a que des savants... Les journaux sont pleins de calculs, de trucs à la gomme... Pas un petit crime... Le Tour de Mars de temps en temps... mais c'est toujours les Martiens qui gagnent... Ils ont quatre jambes... Vous vous rendez compte... Pas de diamants de la Bégueule, pas de Janot le Cinglé, pas de Girier fils la Canette, rien... rien... *(Janot s'est approché.)*
Ce qu'on se barbe !

JANOT

Ah oui ? Tant que ça ?...

CAPITAINE

Ah, là là... Un fait divers, rien qu'un, bon Dieu...

(Janot sort de la poche un pistaiguille et le lui braque sur le bide.)

JANOT

Tu vas l'avoir, ton fait divers... *(Il baisse son casque.)* Tu la connais ma bobine ?...

CAPITAINE

Janot le Cinglé ! Mince !

CIVIL

Ça alors... *(Il recule, inquiet, la civile paraît ravie.)*

CIVILE

Oh ! ce qu'il est bien !

JANOT

Montez là-dedans, vous autres... On part ensemble...

CAPITAINE

Mais qu'est-ce que vous allez faire sur Mars ?

JANOT

Me planquer... Ça sent le roussi par ici...

CAPITAINE

Mais c'est pas possible, monsieur, écoutez...

JANOT

Pourquoi c'est pas possible ? Cause... J'ai les poulets aux fesses...

CAPITAINE

Mais justement... Y a pas de flics sur Mars... Qu'est-ce que vous allez faire ?

JANOT *(atterré)*

Ah... Sacré nom... Y a pas de flics... C'est vrai... Je croyais que c'était une blague du vieux Nohain...

CAPITAINE

C'est tout ce qu'il y a de vrai... Y a pas *un* flic... Radio Mars, c'est pas du baratin !...

JANOT

Alors là, ça n'a plus aucun intérêt. *(Il se tient le menton.)* Que faire, bon Dieu, que faire... *(On entend des coups de sifflets, apparaissent deux flics à bécane.)* Bougez pas !

1er FLIC

Pardon, sieurs dame... des fois, vous auriez pas vu un nommé... Hé là !

JANOT *(lui braque son pistaiguille)*

Reculez vous deux ! Jusqu'à la fusée... Allez... Vous *(le capitaine obéit)* ouvrez le machin... Allez... Montez, les poulets... Sinon je vous descends comme des lapins myxomateux.

2e FLIC

Janot... Tire pas ! Tire pas, hein !

JANOT

Pas de danger ! Je tiens trop à vous. On fait le voyage ensemble, les enfants. *(Au cap.)* C'est paré ?

CAPITAINE

Paré !

JANOT *(aux deux civils)*

Montez, les petits légionnaires !

(Ils s'engouffrent dans le sas.)
(Au cap.)

A vous !... *(Le cap. obéit.)*
Et à moi ! *(Geste ultime.)*
Salut, la Terre ! On va vous donner un peu de boulot !

(La porte de la fusée se referme, noir complet, violent sifflement, lueur rouge et c'est parti. En projection on peut faire une petite fusée de la Terre à Mars, sur fond bleu piqueté d'étoiles.)

RIDEAU

PARIS VARIE
OU
FLUCTUAT NEC MERGITUR

1952

En 1952, Paris est décidé à vivre et à bien vivre. Cette année-là, ces années-là plutôt : 1951-1955 sont les années fastes du cabaret et ce n'est pas un hasard si les « petits spectacles » de Boris Vian se concentrent, à peu de choses près, dans cette période. Le Saint-Germain-des-Prés des caves sombre dans la limonade ou, pour être exact, dans le champagne millésimé vendu à prix d'or, mais l'« esprit » de Saint-Germain-des-Prés, né dans la fièvre et l'improvisation au Tabou, au Club Saint-Germain, au Vieux Colombier se perpétue ou ressuscite à la scène par des spectacles vifs, rapides, étincelants et montés avec soin et précision. 1951-1955 : un lustre de cocasserie, de poésie, d'innovations de toute sorte dont notre théâtre et notre cinéma s'inspirent encore... à leurs meilleurs moments.

1952 : Paris a grande envie de rigoler, et il ne s'en prive pas. On voit poindre l'aube, tant attendue, de la société de consommation : ceux qui n'ont pas cessé de s'empiffrer mettent les bouchées doubles et raffinent leurs plaisirs ; ceux qui n'ont jamais connu l'opulence peuvent enfin ramasser les miettes. Voici cinq ans déjà, cinq ans à peine qu'on ne parle plus de se restreindre, d'économiser pour la patrie. Les restrictions, le rationnement avaient duré sept ans, oui sept ans : de 1940 à 1947. Les loque-

teux et les affamés d'hier attendront quelques années avant de se laisser convaincre de la nécessité d'un retour à la croissance zéro, et les gouvernants n'ont pas encore le front de préconiser l'austérité. La guerre d'Indochine s'enlise ; quelques-uns savent qu'il faudra bien en sortir, mais l'Indochine c'est loin. Les fils des victimes des ratonnades de 1945 en Algérie achèvent d'apprendre le maniement d'armes ; ils ne sortiront vraiment leurs pétoires que deux ans plus tard, en novembre 1954, pour une guerre qui ne s'arrêtera qu'avec le « rapatriement » des colons en France où ils pourront crier : « La France aux Français ! » La République est dans un désordre extrême, mais la pagaille sied à merveille à nos compatriotes ; ils vilipendent les hommes politiques ; en même temps, ils les trouvent si comiques ou si affreux qu'ils ne sauraient s'en passer ; élus du peuple qu'ils représentent si bien, le peuple leur tape dessus en guise d'autopunition. Les Français n'ont pas encore réappris le respect. Il leur arrive de souhaiter, voire de réclamer un « chef », mais ils sortent d'en prendre et se gardent bien d'en désigner un. Les Chevaliers à la Triste Figure, parvenus aujourd'hui sur le devant de la scène, pleureront que c'était de l'insouciance. Cause toujours ! En 1951, Boris Vian commence à réunir les notes de son Traité de civisme (qui ne se voulait pas un livre léger) ; coïncidence (si l'on veut), il cessera d'y travailler en 1955, et il aura écrit en avril 1954 le Politique et le Déserteur. Autrement dit, pendant qu'on rigole comme jamais, on n'a jamais été plus sérieux.

On ne nous en voudra pas de confronter ainsi, en deux mots, le cabaret de Boris Vian à son époque et, loin d'en gommer l'apparente désinsertion, de la souligner au contraire. C'est qu'on s'attend toujours à la réouverture du vieux procès d'indifférence aux grands problèmes, d'ignorance de la condition humaine, de mépris pour les pauvres et les opprimés ou, à tout le moins, d'insurmontable contradiction entre le Boris Vian de l'Arrache-Cœur ou du Déserteur et le Boris Vian de Cinémassacre ou de Paris varie. Ces procureurs n'admettront jamais qu'on puisse — selon les mots de Boris Vian — aimer le canular *et ne pas en faire tout le temps ; qu'on puisse être sérieux et s'amuser souvent. Et Boris Vian avait bien raison de tirer de ce constat la question fondamentale : quand admettrez-vous la liberté ? A la distance où nous sommes maintenant de ces années 1951-1955, on s'aperçoit que les moins sérieux auront bel et bien été — et on peut tenir sans risque le même pari pour les années présentes — ceux qui n'étaient que sérieux et en faisaient profession. Peut-on être vraiment et totalement soi, c'est-à-dire sérieux vis-à-vis de soi-même et des autres, sans s'amuser et mieux encore, pour reprendre le mot de Julien Torma, sans savoir rire de son propre rire ?*

1952, c'est l'année des bateaux-mouche. Une société s'est constituée pour remettre à flot les derniers coches d'eau et pour en construire d'autres ; et l'on rêve de lignes régulières, de services multiquotidiens de Suresnes à Charenton, aller et retour avec arrêts aux divers ponts de Paris. En définitive, les bateaux-mouche — qui pouvaient nous éviter les voies sur berge et auraient conduit les Parisiens d'une banlieue à l'autre et d'un bout à l'autre de Paris beaucoup plus vite qu'en voiture — serviront de restaurants flottants pour touristes. En 1952, il s'agit de réapprendre aux Parisiens, non le respect qui les rendra si tristes, mais à se promener sur la Seine car ils en ont perdu l'habitude.

Le P.-D.G. des bateaux-mouche est un homme ingénieux et il a pour ami un jeune enseignant qui fera une belle carrière d'universitaire, et d'écrivain et de chroniqueur : il se nomme Robert Escarpit ; il est plein d'idées charmantes que son ami des bateaux-mouche accueille volontiers. Pourquoi les bateaux-mouche s'appellent-ils bateaux-mouche ? Albert Dauzat avait été choqué par cette faute d'orthographe remarquée avant guerre sur les panonceaux de la compagnie. Les bateaux-mouche, quand ils étaient pluriels, jugeait Dauzat, devaient mettre un s à mouche. Erreur grave du savant toponymiste. Les bateaux-mouche tenaient leur nom de leur fondateur, Jean-Sébastien Mouche, et non de l'énervant diptère qui s'oublie sur nos fromages blancs ni même du petit bâtiment qui sert d'estafette à l'amiral (voir tout bon dictionnaire).

A l'heure de la réhabilitation des bateaux-mouche, il convenait de rendre hommage au grand méconnu, Jean-Sébastien Mouche. A quoi s'employèrent activement Bruel, patron des bateaux-mouche, et Robert Escarpit qui rédigea la biographie de Jean-Sébastien. Et le 1er avril 1953, aux accents de la Marche funèbre *de Chopin, le Tout-Paris embarquait sur* l'Hirondelle *amarrée au pont de Solférino ; après qu'Edmond Heuzé, de l'Institut, eut prononcé l'éloge du collaborateur du baron Hausmann, de l'organisateur du corps des inspecteurs spéciaux de la police baptisée « mouchards », et de l'inventeur de la navigation touristique sur la Seine, on dévoila le buste en marbre de Jean-Sébastien Mouche, né en 1834 et mort en 1899, entré définitivement dans l'histoire par le Marché aux Puces de Saint-Ouen et un 1er avril, date qui, mais un peu tard (de 14 juillet), fit mouche.*

Pour sécher les larmes des personnalités parisiennes émues par la révélation d'une vie tout entière vouée au bien public, et avant que l'Hirondelle *ne cinglât vers Notre-Dame « que Jean-Sébastien Mouche avait tant aimée », on leur offrit le spectacle créé en octobre 1952 au Night Club 4 rue Arsène-Houssaye, aux Champs-Elysées, par la Compagnie Georges Vitaly (Jacques Fabbri, Jacqueline Maillan, Jacques Jouanneau, Monique Delaroche, Pierre Mondy, Maurice Chevit, Jean-Marie Amato, Xavier Renoult) dans des décors de Félix Labisse, avec une musique de Jean Wiener :* Paris varie *ou* Fluctuat nec mergitur, *qui s'était intitulé quelques heures la* Fondation de Paris, *titre jugé un peu trop didactique et mal accordé au public des ferblantiers en gros et des toucheurs de bœufs qui venaient souffler la fumée de leurs cigares sous le nez des acteurs, en pinçant les fesses de leurs voisines. On le devine, ce spectacle — fort applaudi sur la péniche du pont de Solférino l'unique soir où il fut présenté sous l'impressionnante invocation de l'illustre Mouche — n'obtint dans sa boîte de nuit d'origine qu'une audience distraite, proche de l'hébétude, en dépit d'une mise en scène, de décors et de comédiens dont on peut dire sans flagornerie, qu'ils étaient de haute qualité. Et — soyons franc — en dépit des efforts d'adaptation et même de concession, consentis (en vain — c'est bien fait !) à ce public du Night Club. C'est pour le sortir de sa torpeur que les sketches furent augmentés* in extremis *d'un dialogue argotique entre la vendeuse de souvenirs devenue une putain de Pigalle, si ce n'est de la rue Saint-Denis (et non des Champs-Elysées, crainte de vexer les dames accompagnantes) et le Gaulois transformé en maquereau. Le temps pris par les effusions de ces deux voyous contraignit Boris Vian à supprimer deux sketches, le mexicain et le suisse. Si l'on néglige les variantes (« Salam, sidi » par exemple, dans le sketch arabe, au lieu de « Bonjour, mon zami », et tout de même beaucoup d'autres, oui on relève bon nombre de variantes dans les dialogues de presque tous les sketches mais qui ne touchent ni au thème ni au fond du spectacle), on rétablira aisément la version première en coupant au bout de chaque sketch les répliques en jars, repérables en outre, dans notre édition, par une différence typographique à l'usage des lecteurs qui ne pratiquent pas* la Méthode à Mimile, *et nous publions, bien entendu, les deux sketches sacrifiés ayant échappé, grâce à leur expulsion du spectacle, à cette greffe caudale. Soucieux de ne point heurter le public distingué du bateau-mouche, Boris Vian décida d'amputer les scènes de leurs appendices crapuleux ; ainsi, nous vérifions la parole du Christ : la version première est devenue la dernière (allez donc vous en sortir). Pour les soirées de l'Elysée réservées au corps diplomatique et pour les patronages, nous recommandons évidemment la version bateau-mouche qui laisse intact l'honneur français. Reste que les dialogues de la gonzesse et de son mec annoncent la grandiose tragédie en alexandrins et en argot,* Série blême, *que Boris Vian écrira deux ans plus tard, en 1954, et que Georges Vitaly, maître d'œuvre de* Paris varie, *présentera à Nantes, avec succès, en octobre 1974.*

N. A.

La Compagnie du Bateau-Mouche

présente

FLUCTUAT NEC MERGITUR

Une superproduction en couleurs sans danger à la gloire du Ministère de la Reconstruction qui n'a pourtant rien fait pour la subventionner.

SKETCH I

La salle du congrès après la réunion. Pupitres. Petites pancartes : URSS, USA, etc., formules au tableau noir. Trouver quelques gags visuels. Boulettes de papier, flèches, etc. Banderoles : « Congrès international de la Reconstruction ». Entre balayeur qui commence à ranger en haussant les épaules et grommelant. Il est rejoint par une femme de ménage avec bassine.

FEMME

Bonjour, monsieur Charles.

BALAYEUR

Bonjour, madame Bignon.

FEMME

Alors, toujours de mauvaise humeur ?

BALAYEUR

Et vous, toujours aussi emmerdante ?

FEMME

Oh, m'sieur Charles, ce que vous êtes mal embouché ?

BALAYEUR

Pourquoi que vous me cherchez, aussi ?

(Il ouvre un pupitre et frotte.)

FEMME

Oh ! Vous en faites une poussière !

BALAYEUR

Zavez qu'à aller flâner ailleurs.

FEMME

Oh ! m'sieur Charles, si seulement vous étiez plus gentil. *(Elle s'approche.)*

BALAYEUR

Je ne suis pas gentil. Pourquoi que je serais gentil ! Vous croyez que c'est drôle, vous, de nettoyer tous les jours les saletés de ces vieux chnoques ?

FEMME

Mais l'amour, m'sieur Charles, ça rendrait le travail facile.

BALAYEUR

L'amour ! *(Il ricane.)* L'amour ! Tenez, vous me faites marrer.

FEMME

Oh, ce que vous êtes triste *(compassion-affection).* Si seulement vous laissiez quelqu'un de sérieux s'occuper de vous ! *(Paraît un délégué qui a oublié quelque chose. Il est vieux et barbichu et il a un cornet acoustique. Il va vers un des pupitres, l'ouvre, et en sort un biberon plein de gros rouge.)*

DÉLÉGUÉ

- Ah ! *(Il se met à le têter goulûment, voit le balayeur et lui dit au revoir comme un bébé.)* A'voir ! A'voir !

BALAYEUR

Un crime ! C'est un crime, de voir ça ! Du gros rouge dans un biberon !

FEMME

Qui c'est ?

BALAYEUR

Le délégué français.

FEMME

Oh, il a l'air gentil, moi je trouve. Mais dites, monsieur Charles, qu'est-ce qu'ils font ici tous ?

BALAYEUR *(important)*

Bah ! Vous ne comprendriez pas ! *(Il ouvre un pupitre, sort une culotte de fille rose avec dentelle noire.)* Tiens ! Ça c'est le délégué du Canada qui l'a oubliée.

FEMME

Ils travaillent dur, ces gens-là ! Mais qu'est-ce qu'ils font ?

BALAYEUR

Vous savez lire, oui ? *(Il lui montre la pancarte.)*

FEMME *(lit, puis)*

Oh, mince ! Eh bien ! Dites, monsieur Charles, vous comprendriez ce qu'ils disent ?

BALAYEUR *(hausse épaules)*

Ben évidemment !

FEMME

Qu'est-ce qu'ils discutent ensemble ?

BALAYEUR

Ils prennent des décisions. Des résolutions comme ils disent.

FEMME

Mince ! Des résolutions !

BALAYEUR

Tenez, pas plus tard que ce matin, là, ils ont dit qu'ils allaient organiser un festival à la gloire de Paris.

FEMME

Oh, c'est gentil, ça, y en a déjà pas tant !

BALAYEUR

Oui ! Chacun des délégués de chaque pays a promis d'envoyer une contribution.

FEMME

Eh ben !

BALAYEUR

Ça sera... Attendez... le résumé des travaux merde... je me rappelle plus. Bref, chacun a dit qu'il allait raconter comment Paris a été fondé.

FEMME

C'est pas pareil partout ?

BALAYEUR

Ah, mais non ! C'est comme la radio, tenez, ils en causaient justement. Eh ben, c'est marrant, mais la radio, en France, c'est Branly qui l'a inventée... et en Italie, c'est un certain Marcolit... Et en Amérique, un nommé Popof... Non, c'est en Russie, ça... Bref, enfin, il paraît que Paris c'est pareil... Ça s'est pas fondé pareil dans chaque pays.

FEMME

Mais c'est ici, Paris, c'est pas en Russie ou en Angleterre, m'sieur Charles...

BALAYEUR

Qu'est-ce que vous en savez, mame Bignon ? Paris, c'est à tout le monde... Tenez, une supposition que vous seriez japonaise, est-ce que vous verriez la fondation comme si que vous seriez auvergnate...

FEMME

Ben... J'sais pas...

BALAYEUR

Alors à ce festival, on verra tout ça... *(La lumière baisse, ils s'éloignent et on entend dans le haut-parleur une voix.)*

VOIX

Et maintenant, je passe la parole à notre distingué collègue le révérend père Ignace de Laloyau qui va nous exposer comment, selon les dernières recherches entreprises par l'équipe du Vatican, fut créée, avec l'autorisation du Seigneur, la ville de Paris.

SKETCH D'INTRODUCTION

DÉCOR : *Intérieur d'un car. Voyageurs de toutes nationalités assis. Un aboyeur qui parle.*

ABOYEUR

Et ici, mesdames et messieurs, vous vous trouvez à pied d'œuvre, à point nommé et à même tout court d'admirer le panorama qui s'étend devant vous et qui représente, vous ne le devinerez jamais, qui représente

LES DIX TOURISTES D'UNE VOIX

Paris !

ABOYEUR

Tiens... Vous l'avez deviné quand même ? Ah, vous m'avez eu. C'est sûrement à cause de la Tour Eiffel ; j'aurais dû y penser. Toujours est-il que voilà Paris... euh... capitale de la France... euh... ville d'un intérêt touristique indéniable... qui a donné le jour à des expressions extrêmement utiles, telles que Parici la sortie... ou Paris mutuel... ou Paris vaut bien Metz... Je ne vous en dis pas plus long, parce que vous connaissez tous Paris aussi bien que moi, sinon mieux... Enfin je vais vous signaler pourtant que Paris fut fondé voici vingt siècles environ par un hardi voyageur Gaulois, Sébastien Parigot... *(Un touriste se lève.)*

TOURISTE ALLEMAND

C'est faux, monsieur.

ABOYEUR

Comment, c'est faux ? Je sais ça mieux que vous, quand même, professeur Schwarzendreck ?

TOURISTE ALLEMAND

Nein, cheune homme. C'est faux. Paris a été bâti en un chour par un des mes ancêtres... C'est dans les papiers de famille... *(Un touriste anglais se lève)* et dans tous les manuels scolaires d'Allemagne...

ANGLAIS

Je vous demande pârdon ?

ALLEMAND

Ja, mister ?

ANGLAIS

Professeur, je m'excuse infiniment, mais Paris a été fondé par les Anglais... *(Se lève un Corse.)*

CORSE

Eh bien, eh bien ! Mais vous êtes pas un peu fou, alors ? Et Napoléon ? Vous l'oublieriez pas, des fois ? C'est les Corses qui ont fondé Paris, pôvres... *(Tous les touristes se lèvent, pandémonium : « C'est les Anglais... les Allemands... les Corses... les Américains... les Arabes... »)*

ABOYEUR

Silence ! Silence ! Messieurs, mesdames, je vous en prie, exposez chacun votre cas.

LA TOURISTESSE AMÉRICAINE

Je suis désolée, mais en Amérique, tous les enfants

apprennent à l'école que Paris a été fondé par des cousins éloignés de Henry Ford !

L'ARABE

Eh, kis ki ti dis, toi ! On l'sait bien qui c'est qui l'a fait, ci nos ancêtres li Gaulois, c'étaient dis arabes comme toi zet moi...

ABOYEUR

Alors, c'est dans votre manuel scolaire aussi, peut-être ?

ARABE

Voui, mon zami ! *(Il scande « Nos ancêt' li Gaulois avaient di grands chiveux blonds... »)*

ABOYEUR

Eh bien il ne manquait plus que celle-là !

ARABE

Ti veux qui j'ti raconte comment ça s'est passé ? Kif kif mille et une nuits.

ABOYEUR

Ah, je m'en fous, mon pote ! Au point où on en est !

ARABE

Alors ji vais ti raconter. *(Se lève le Russe.)*

RUSSE

Excuse, camarade ! Niet !

ARABE

Kis ki ti dis, mon zami ?

RUSSE

Niet ! Nous avons antériorité !

ARABE

Ah ! J'y comprends rien !

RUSSE

C'est Popoff, de Moscou, qui a fondé Paris avant tout le monde, camarade, voï, voï...

ABOYEUR

Pouh !

RUSSE

C'est prouvé par *Pravda* d'aujourd'hui...

ABOYEUR

Faites voir !

RUSSE

Niet ! Je vais faire démonstraction explicative ! Otez véhicule *(on démembre le car)*

ABOYEUR

Oh ! mon car ! Un Berliet tout neuf ! *(Il sort navré en tentant de rassembler les bouts.)*

RUSSE

Arrière tous ! *(Tous sortent.)* Et changez de décor ! La scène se passe il y a beaucoup beaucoup années...

(Arrive la vendeuse poussant sa petite guérite qui change la toile de fond et s'installe. Elle est bientôt rejointe par le Gaulois.)

GAULOIS

Allez, ici, Jeannette, c'est un coinstot vachement rupinant.

VENDEUSE

Oui, mon loulou, ça a l'air de bicher au poil.

GAULOIS

Et tâche de chouraver tout ce qui va te passer sous le tasse-broques, hein, maman.

VENDEUSE

Je ferai ce que je peux, mon loulou.

GAULOIS

De l'oseille, surtout ! Accent circonflexe sur l'oseille... Et si i veulent te faire bigler le Kremlin sans passeport, tu leur files un coup de tatane et tu leur zy retournes les brandillons !

VENDEUSE

Gigo, mon loulou ! File-moi une bise de voyou ! *(Il la bise.)*

GAULOIS

Au turf ! *(Il s'éloigne, arrivent les deux druides.)*

PARIS A LA RUSSE

DÉCOR : *Bois, rivière méandreuse, petite baraque où l'on vend des souvenirs et notamment des Tour Eiffel en bronze rouge « Au Souvenir de Luteski ». Une vendeuse y est installée. Entreront les druides.*

1ier DRUIDE

Ah ! Enfin un endroit tranquille.

2e DRUIDE

Y a-t-il des chênes dans le coin ?

1ier DRUIDE

Attends. On va demander. *(Il s'approche de la baraque.)* Pardon, excusez-moi... Il y a des chênes aux environs ?

VENDEUSE

Des chênes ? Pourquoi faire, d'abord ?

2e DRUIDE

Eh ben... heu... C'est pour le gui, quoi...

VENDEUSE

Le gui ? Kekçekça ?

1ᵉʳ DRUIDE

Notre matière première. On est druides.

VENDEUSE

Vous vous moquez de moi ?

2ᵉ DRUIDE

On n'oserait pas.

VENDEUSE

Enfin qu'est-ce que vous faites avec votre gui ?

1ᵉʳ DRUIDE

On le coupe.

2ᵉ DRUIDE

Et on crie « Au gui l'an neuf ».

VENDEUSE

Et ça vous amuse ! *(Elle les regarde avec le plus profond mépris.)* Vous avez du temps à perdre pour vos distractions bourgeoises. *(Elle se reprend, ça lui échappe.)* Pardon !

1ᵉʳ DRUIDE

Bourgeoises ?

2ᵉ DRUIDE

Nos distractions bourgeoises ?

1ᵉʳ DRUIDE

Kharacho ! Et avec quoi crois-tu qu'on le coupe, le gui, petite mère ?

2ᵉ DRUIDE *(brandit une faucille)*

Est-ce que ça a l'air d'un instrument bourgeois, ça ?

VENDEUSE

Le signe de reconnaissance ! Excusez-moi, camarades,

j'ai parlé trop vite ! *(Elle montre un marteau.)* Voilà le signe !

1ier DRUIDE

Ah ! Je pensais bien que c'était toi, Nastasia Ivanovna. Bois un coup de vodka avec nous, babouchka. *(Ils l'embrassent.)*

VENDEUSE

Je ne peux pas, camarades, ça va faire baisser mon rendement.

2e DRUIDE *(avec respect)*

Tu es stakhanoviste ?

VENDEUSE

Oui, camarade.

1ier DRUIDE *(baisse la voix)*

Ecoute... Il n'y a personne ?

VENDEUSE

Non...

1ier DRUIDE

Alors je peux retirer cette défroque capitaliste... *(Il la retire et apparaît en tenue de russe avec étoiles et bottes et marteau.)* Sergueï Pariskoff, de l'armée secrète du travail de la Sainte Russie...

2e DRUIDE *(même jeu)*

Andréï Popoff, druide de choc...

1ier DRUIDE

On s'est camouflés en druides, pour circuler sans encombre parmi les Gaulois avec nos faucilles...

VENDEUSE

C'était inutile... J'ai déjà noyauté le coin... On peut travailler.

1er DRUIDE

C'est bien, Nastasia. Le génial Père des Peuples sera content de toi. *(Il examine l'étalage et regarde une tour Eiffel peinte en rouge.)* Qu'est-ce que c'est que ça, camarade ?

VENDEUSE

Les Gaulois adorent ça... C'est une statuette magique que j'ai inventée. Ils les préféraient dorées, mais maintenant je les peins en rouge. Mais que puis-je faire pour vous ?

2e DRUIDE

As-tu convoqué l'huissier ?

VENDEUSE

Il doit arriver *(elle regarde son sablier)* dans cent grammes de sable.

1er DRUIDE

Alors préparons les choses. Tu as la pierre, Andreï ?

2e DRUIDE

Oui, Sergueï. *(Il la lui tend.)*

1er DRUIDE

La truelle ?

2e DRUIDE

Voilà. *(Il la lui tend.)*

VENDEUSE

L'huissier arrive. *(Entrent l'huissier et son secrétaire, vêtus en Gaulois.)*

HUISSIER

Bonjour, messieurs.

1er DRUIDE

Note, vieillard.

HUISSIER

Ecris ce que je te dis, Albert...

1ier DRUIDE

Nous, Sergueï Pariskoff et Andreï Stalinko, travailleurs de choc de la Grande Russie, déclarons avoir fondé, avant tout le monde, la ville de Paris ; ceci a été constaté par Maître Léon, huissier assermenté....

2e DRUIDE *(pose la pierre)*

Le ciment, Sergueï.

1ier DRUIDE

Voilà, Andreï. Fait à Paris, 1er janvier de l'an de grâce 1990 avant Staline. Vous avez noté ?

HUISSIER

Tu as noté, Albert ?

ALBERT

Oui, maître.

2e DRUIDE

Voilà une bonne chose de faite, Kharacho ! Donne copie !

HUISSIER

Voilà !

1ier DRUIDE

Au moins, comme ça, il n'y aura pas de contestation. *(Il relit et empoche l'acte.)* Merci, camarade huissier...

HUISSIER

Au revoir, messieurs... *(Ils revêtent leurs robes de druides et s'en vont.)*

DRUIDES

Au revoir, babouchka ! Au revoir !

HUISSIER *(joint les mains)*

Paris ! Moi qui ai rêvé de ça toute ma vie ! Et m'y voilà enfin !... Grâce au camarade Popoff... *(Musique, la lumière baisse — l'hymne russe retentit.)*

(L'huissier se met à valser sur « Pigalle » et sort en tournant tandis qu'Albert remet ses moustaches et son casque et s'approche de la vendeuse.)

GAULOIS

Le pognon, Jeannette !

VENDEUSE

Y en a pas chouïa, mon loulou..

GAULOIS

Par ici la bonne soupe ! Tu peux garder la tronche à cézigue *(il désigne l'image de Staline)*, mais moi j'ai besoin de fringues.

VENDEUSE

J'ai rien à me coller sur le vestiaire, mon loulou, laisse-moi un peu d'aubert...

GAULOIS

Ah ! dis Jeannette, gaffe ton mec... je suis loqué comme un poisson rouge, tu permets...

VENDEUSE

Alors paye-toi un chouette petit bada, mon loulou... tu seras bath !

GAULOIS

Un bada ? Une bâche, que je vais me payer. *(Il écoute, le chant allemand retentit.)* Vingt-deux ! Des touristes ! Au turf ! *(Il se planque.)*

A L'ALLEMANDE

DÉCOR : *Paysage allemand. Même disposition. Vendeuse de souvenirs avec des nattes. Poteaux indicateurs comme du temps de l'occupation, qui seront montés sur scène au cours du sketch :*

Soldatenheim ▶ *Soldatenboxon* ▶

On entend une marche militaire très germanique et le professeur Schwarzendreck d'il y a deux mille ans fait son entrée à la tête d'un escouade de quatre pionniers du KDF vêtus de peaux de bêtes et d'une casquette allemande.

Chant

Wenn die Soldaten
Durch die Stadt marschieren
Offnen die mädchen
Die Fenster und die Türen
Ein Warum Ein Darum Ein Warum Ein Darum
Ein Küss wenn es stimmt Darassabum Darassassa (*bis*).

SCHWARZEN

Pionnieren... Halt ! *(Tous s'arrêtent dans les règles.)*
Schaufeln... ab ! *(Tous posent leurs pelles à terre.)*
Achtung ! Ruhen !... *(C'est le repos, ils se détendent.)*

Soldat Müller, la Karte, bitte !

MULLER

Jawohl, professeur Schwarzendreck ! *(Il apporte la carte.)*

SCHWARZEN

Voyons ! Voyons ! Là, là. Ach ! C'est très exactement l'endroit. Ici la Seine... Là-bas, Montmartre... Ach, qu'est-ce que c'est ? Soldat Scheissel, bitte !

SCHEISSEL

Zu befehl, Professor Schwarzendreck.

SCHWARZEN

Soldat Scheissel, qu'est-ce que vous voyez sur cette carte ? Ici ?

SCHEISSEL

C'est un fleuve, Herr Professor. Il est tout courbé. Comme un croissant, Herr Professor.

SCHWARZEN

Ja, gut. Et vous vous rappelez celui qui était devant vous ?

SCHEISSEL

Ja wohl, Herr Professor. Il était tout droit.

SCHWARZEN

Gut, Gut. Eh bien conformément à la Karte, Soldat, il est donc maintenant devenu un fleuve courbe, avec des méandres. Verstanden ?

TOUS

Jawohl, Herr Professor !

SCHWARZEN

Achtung, Steht ! *(Tous se mettent au garde-à-vous.)* Soldaten ! Vous avez gut marschiert, gut dormiert, gut arbeitet... Maintenant, il faut gut drinken et puis ce sera gut gonzesses ! Il fallait que Paris soit fondé dans les délais fixés par le Herr Marschall Direktor Chancelier de la fondation des Kapitalen ! Et c'était fait ! Liselotte ! *(La vendeuse se met au garde-à-vous.)*

LISELOTTE

Zu befehl, Herr Professor !

SCHWARZEN

Liselotte, donne à boire à ces gaillards.

LISELOTTE

Jawohl, Herr Professor... Que veulent-ils boire ?

SCHWARZEN

De la bière avec du cognac ! Schnell ! Soldat Blaukopf, bitte !

BLAUKOPF

Zu befehl, Herr Professor !

SCHWARZEN

Amène les pankarten, tout de suite, ja ja !
(Blaukopf amène les pankarten.)

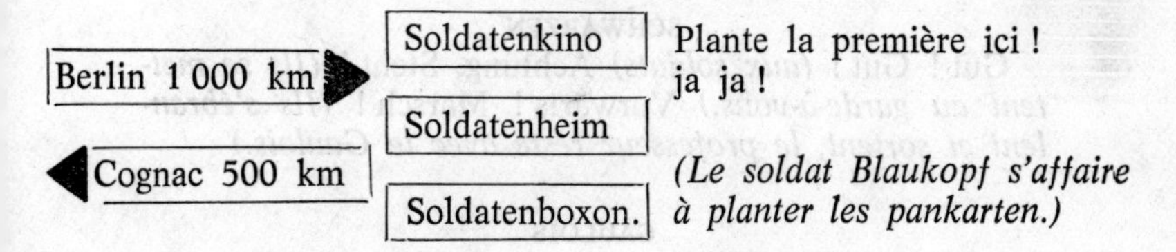

Plante la première ici ! ja ja !

(Le soldat Blaukopf s'affaire à planter les pankarten.)

SCHWARZEN *(aux autres)*

Soldaten ! Et maintenant, Prosit ! *(Il lève son verre.)* A la santé de notre Gross Paris allemand ! *(Tous lèvent leur verre et trinquent.)*

TOUS

Prosit, Herr Professor ! *(Commencent à chanter, apparaît un Gaulois flâneur que voit le soldat Blaukopf.)*

BLAUKOPF

Achtung, Achtung, Herr Professor.

SCHWARZEN

Was ist das ? Qu'est-ce que vous faites par là ?

GAULOIS

Ben, je m'balade, quoi. On peut plus se balader ?

SCHWARZEN

Ach, mon ami, ja ja, mais nous sommes en train de célébrer la fondation d'une ville, nicht wahr ?

GAULOIS

Oh, ben si vous voulez... ça me gêne pas...

SCHWARZEN

Vous ne venez pas là pour sabotage, mm ?

GAULOIS

Ah, pensez-vous ! Moi ! Ben alors, vous vous rendez compte ? Fonde, fonde mon pote ! Fonde !

SCHWARZEN

Gut ! Gut ! *(aux soldats)* Achtung, Steht ! *(Ils se mettent au garde-à-vous.)* Vorwärts ! Marsch ! *(Ils s'ébranlent et sortent, le professeur reste avec le Gaulois.)*

GAULOIS

Dites, Herr Professor, vous avez l'intention de rester là longtemps ?

SCHWARZEN

Warum, mon ami ?

GAULOIS

Parce qu'il paraît qu'on signale des Ricains dans le coin...

SCHWARZEN

Was ? Ricains ? Ach, Gott, ça ne fait rien... Le Chancelier Direktor sait déjà...

GAULOIS

Oh, moi je vous préviens au cas où ça vous servirait...

SCHWARZEN

Gut ! Bien ! Nous nous replions déjà, dans cette éventualité, sur des positions préparées à l'avance ! Adieu ! Auf wiedersehen !... Nous reviendrons !

GAULOIS

Salut ! *(Le professeur s'éloigne et le chant retentit.)* A la revoyure, mon pote, nach Berlin !

(Il les salue du geste, la marche retentit et il s'approche de la vendeuse.)

GAULOIS

Le flouze, Jeannette !

VENDEUSE

Voilà mon loulou... *(Elle lui donne)*

GAULOIS

T'es une bonne petite gagneuse, toi, dis donc ! J'te double ta masse de manœuvre... t'avais peau de balle, t'auras des clopinettes !

VENDEUSE

Aide-moi à tout arranger, mon loulou, faut que je sois prête à temps.

GAULOIS (*tourne autour du panneau laissé par les Allemands*)

Au boulot ! Ah ! c'est ça qu'il appelle des positions préparées à l'avance, la peau de vache ! Fumier de lapin, va ! *(On entend le chant lointain des pionniers américains.)* Tiens... ils ont la radio sur leur boîte à cambouis

VENDEUSE

Je les sonne, hein, ma gueule d'amour !

GAULOIS *(geste significatif)*

Le coup de barre, Jeannette. Et t'en fais pas, je reste dans le coin... *(Il s'éloigne discrètement.)*

A L'AMERICAINE

VOIX

Monsieur Walter Thomson, délégué des Etats-Unis, voulez-vous avoir l'amabilité de nous faire savoir à quels résultats sont arrivés vos chercheurs ?

WALTER

Eh bien, comme vous allez vous en rendre compte, on se trompe gravement lorsque l'on s'imagine que Paris est une invention strictement gauloise. En réalité, longtemps avant les Gaulois, de hardis pionniers américains poussaient vers la Seine dans leurs charrettes bâchées...

DÉCOR : *De la prairie que le décorateur de service achève de verdir violemment. Bruit de carriole et hennissement de chevaux. Paraît une charrette classique de western. Types de western avant J.-C. avec arcs à répétition. Trois hommes et une femme. John, le plus âgé, commande. Jim est jeune et Jack est laid.*

JIM

Alors, on s'arrête ici, pas, les copains ?

JOHN

Ça me paraît un coin peinard.

JACK

J'ai idée que ça doit aller, sûr ! *(A la fille.)* Mais tu ne dis rien, Sally ?

SALLY

Il y en a bien un de vous qui va me chercher du bois pour le feu ?

JOHN

Jim va faire ça.

JIM

J'y vais, pa !

SALLY

Ne t'écarte pas trop, Jim.

JOHN

Oui, fais attention, y avait des condors dans la passe, tantôt.

JIM

J'ai mon arc à répétition, pa. Ne t'en fais pas. *(Il s'éloigne.)*

JACK

Eh bien, ça semble l'endroit rêvé pour ce qu'on voulait faire.

JOHN

Eh oui ! Mais tu ne dis rien, Sally.

SALLY

Moi, ça ne m'inspire pas confiance.

JOHN

Pourquoi ? Y a de l'eau, de l'herbe pour nos chevaux

(il avise la vendeuse de souvenirs) et une petite qui n'est pas mal, par Jupiter !

SALLY

Quand il y a de l'eau et de l'herbe, les Indiens ne sont pas loin !

JACK

Allons, la vieille, tu es toujours à marmonner tes prophéties de Natalie Kalmus !

JOHN

Ecoute, Sally, on ne va tout de même pas s'en aller alors qu'on a fait deux mille lieues pour venir fonder Paris !

JACK

On a un travail à faire, et on le fera, sûr !

JOHN

Tu sais bien que les Indiens n'ont jamais pu arrêter les pionniers américains ! *(Cris, bruits de poursuite, Jim arrive hors d'haleine.)*

JIM

Alerte ! Alerte !

SALLY

Les Indiens ! J'en étais sûre !

JOHN

Renversez la charrette, les enfants. On va leur faire voir de quel bois on se chauffe, dans l'Oklahoma.

JIM

J'ai jamais vu d'Indiens comme ça ! Ils sont grands et blonds avec des casques à ailes, ma parole !

JOHN

Regarde ! Ils ont l'air de vouloir parlementer. *(Approche un Gaulois.)*

GAULOIS

Ough ! Les chefs au visage rouge sont installés sur le territoire communal ! Il faut payer la taxe !

JOHN

Tu parles notre langue ? Quel est ton nom ?

GAULOIS

Ough ! Je m'appelle Berlitz !

JOHN

Un peu d'eau de feu ?

GAULOIS

De quoi ?

JOHN

D'eau de feu.

GAULOIS

Donne voir. *(Il boit.)* Hum !

JOHN

Veux-tu nous vendre le terrain ?

GAULOIS

Combien ?

JOHN

Dix litres d'eau de feu ! *(Ils l'encadrent.)* Et fais attention à ce que tu réponds, vieux, j'ai un arc qui part au quart de tour !

GAULOIS

Je suis cuit.

JACK

Lève un peu les pattes, ça fait circuler le sang, sûr !

GAULOIS

Bon, d'accord ! *(Ils le lâchent.)*

JOHN

Avec de la compréhension, on peut toujours s'entendre.

JACK

Tu ne peux pas espérer arrêter la civilisation, sûr.

GAULOIS

Et mes dix litres ?

JACK

Passe à la caisse. *(Il va prendre une bonbonne et la lui donne.)*

JOHN

On va chercher le matériel. *(Ils s'éloignent. Arrive la vendeuse de souvenirs avec son étal. Elle prend la bonbonne et colle une étiquette dessus. « Cognac ». Le Gaulois s'éloigne.)*

GAULOIS

Et ne les rate pas, hein ! C'est des touristes !

VENDEUSE

Souvenirs ! Cognac ! Cognac ! *(Les trois reviennent.)*

JOHN

Combien ?

VENDEUSE

C'est deux dollars le verre ! *(Ils payent et boivent.)*

JOHN

Eh ben !

JACK

C'est autre chose que notre eau-de-vie à dix cents, sûr !

VENDEUSE

A la vôtre les gars et vive la liberté ! *(Elle sort les tables de la loi et un chapeau à rayons et se dresse en statue de la liberté, pendant que les trois hommes se découvrent et que retentit l'hymne américain.)*

LES TROIS

Ah... Paris... *(Ils s'éloignent en titubant ; le Gaulois revient.)*

GAULOIS

Le carbure, Jeannette !

VENDEUSE

Ah, tu m'écorches, mon loulou, dis, vise un peu les catastrophes que j'ai comme trottignoles ! *(Elle lui montre ses souliers.)*

GAULOIS

T'achèteras des trottignoles un autre jourdé, la largue ; moi j'ai un culbutant salement tartouzard et je vais pas me balader avec les valseuses à l'air, non ?

VENDEUSE

Toi, t'es verjot que j'sois locdu de ta petite pomme...

GAULOIS

La galtouille, Jeannette !

VENDEUSE

T'es une belle vache, tézigue, t'sais !

GAULOIS

Ah, ça va, ça va, garde une feuille d'un mètre, mais file-moi le reste.

VENDEUSE

Merci, mes belles châsses ! Aide-moi à chanstiquer ce bastringue. *(Ils arrangent la guérite.)*

GAULOIS

D'ac, maman ! Et maintenant, gigo ! Travaille-les au burlingue !

(Arrivent les Corses.)

A LA CORSE

DÉCOR : *Un peu méridional sur les bords. Il y a une pancarte : « Ajaccio 1 200 bornes. » Vendeuse dans un kiosque : « Chez Colomba, Souvenirs. » (Arrivent Ceccaldi, Agostini, Bonaparte et la mère Falcone. Guitares, couteaux, casques gaulois.)*

CECCALDI

Qué nous voilà arrivés.

AGOSTINI

Putain ! Que c'était loin !

BONAPARTE

Quelle marche et quelle chaleur ! On me paierait pour refaire ça, je ne serais pas d'accord !

CECCALDI

C'était tout de même une bonne idée, de venir ici.

AGOSTINI

Oh, n'exagère rien, c'était une idée, c'est tout !

CECCALDI

Eh, c'est quand même moi qui l'ai eue...

AGOSTINI

C'est pour ça qu'elle pouvait pas être bien bonne !

CECCALDI

Dis donc, l'homme, tu me cherches ? Tu me trouveras !

AGOSTINI

Oh, je sais, des comme toi, on en trouve partout, alors je te trouverai...

CECCALDI *(la main au couteau)*

Ah, le sang, il va couler, hein !...

MÈRE FALCONE

Assez, les hommes ! Pas de sang avant cinq heures le soir, vous l'avez promis...

CECCALDI *(grommelle)*

Il a qu'à pas me chercher...

BONAPARTE

Si on s'organisait un peu ; ce n'est pas le tout, de dire : on va fonder Paris ; il faudrait s'occuper de la réalisation.

AGOSTINI

Je propose qu'on se divise : les uns seront gendarmes, les autres seront ganguesters ; une fois les cadres organisés comme ça, ça va tout seul...

BONAPARTE

Je veux être ganguester.

CECCALDI

Eh, tais-toi, Napoléon, tu es trop petit ! *(Bonaparte râle.)*

AGOSTINI

Eh, c'est vrai, tu es trop petit.

BONAPARTE

Alors, je veux être gendarme.

CECCALDI

Quoi, c'est la même chose, tu es trop petit !

BONAPARTE

Alors qu'est-ce que je serai ? Vous n'allez pas me laisser tomber et faire Paris sans moi... *(Il met la main au couteau.)* Peut-être il faut que j'en crève un !

MÈRE FALCONE

Bonaparte, tu sais ce que j'ai dit !

BONAPARTE

Je vais pas me laisser faire par ces deux matamores !

AGOSTINI

Allez, laisse ça... *(A Ceccaldi.)* Où installe-t-on la préfecture ?

CECCALDI

Eh, là dans ce coin près de l'eau, on pourra y jeter les ossemangs...

AGOSTINI

C'est une idée.

CECCALDI

Oui, c'est même une bonne idée...

BONAPARTE

Est-ce que je peux au moins être employé à votre préfecture ?

AGOSTINI *(ne l'écoute pas)*

Une bonne idée... c'est une idée que tout le monde aurait eue, de jeter les ossemangs dans l'eau.

CECCALDI

Ah oui ? Que tu es malin, tu l'as pas eute toi...

AGOSTINI

Si, je l'ai eute, mais je l'ai pas dite !

BONAPARTE

Est-ce que je peux au moins être employé... *(Ils l'interrompent.)*

AGOSTINI

Eh, nous cause pas dans la maing, tu es trop petit, c'est tout...

CECCALDI

C'est facile de dire qu'on a les idées quand on les a pas... ça se voit pas, une idée...

AGOSTINI *(la main au couteau)*

Mes idées à moi, elles se voient !

CECCALDI

Ah, elles se voient ? Eh bien, les miennes, elles se touchent ! Tiens ! *(Coup de lame.)*

AGOSTINI

Ah ! *(Il meurt.)* Vendetta !

MÈRE FALCONE

Je ne peux rien dire, il est cinq heures... *(Elle se voile la tête, la petite vendeuse fait de même.)*

BONAPARTE *(poignarde Ceccaldi dans le dos)*

Vendetta ! *(Il essuie sa lame.)* Eh, ça va mieux ! Ah, je suis trop petit ! Eh bien on va voir ! Et je serai ni gendarme, ni ganguestère, c'est empereur que je serai, voilà ! *(Il baisse les ailes de son casque et met la main dans son gilet — la Marseillaise éclate.)*

BONAPARTE *(va à la vendeuse)*

Joséphine ! Voulez-vous m'épouser ?

VENDEUSE *(elle rejette son voile)*

Impératrice ! Mézigue ! Mais... sire, comment ! Vous m'avez à peine biglousée !

BONAP

Un coup d'œil suffit à l'aigle ! Venez, belle créature. *(Paraît le Gaulois qui s'interpose.)*

GAULOIS

Vous permettez un instant, patron, un mot à bonir à madame... (*Il entraîne Jeannette.*) Dis donc, la môme, tu vas pas t'entifler avec ce cave !

VENDEUSE

Ecoute, mon loulou, il est plein de carbure, ce branque, laisse-moi harpigner ma dot...

GAULOIS

Ah, Jeannette, je suis jalmince... Tu me chambres !

VENDEUSE

Le temps de faire la caisse et je décarre aussi sec, mes calots jolis ! Mais fais pas louper le coup !

GAULOIS

Ah, va va... mais ramène le paqueçon. *(Elle lui fait un clin d'œil et rejoint Bonap.)* Moi, je vais boucler la turne, parce que si c'est ceux que je crois qui radinent, y a rien à chouraver avec ces paumés de rosbifs...

(Il ferme la guérite.)

A L'ANGLAISE

VOIX

L'Angleterre était là !

DÉCOR : *Tente. Photophore. Très colonial. Paysage de jungle. Anglais très correct, en casque, sous la tente. Indigène gaulois agitant le pankah (noir, casque). Tam-tam.*

LIVINGSTONE

Bouasso !

BOUASSO

Voui, missié.

LIVINGSTONE

Quelle heure ?

BOUASSO

Sept heures et demie, missié.

LIVINGSTONE

Prépare mon tub et sors mon smoking. Le dîner est prêt, je suppose ?

BOUASSO

Voui, missié. *(Il se lève et commence à s'affairer.)*

LIVINGSTONE *(se lève)*

Qu'est-ce qu'il y a pour dîner ?

BOUASSO

Du rat, missié.

LIVINGSTONE *(hausse les épaules)*

Encore du rat ! Bah ! ce n'est pas plus mal qu'en Angleterre... *(Il écrase un moustique sur sa joue.)* Ah ! ces moustiques ! *(Le bruit du tam-tam s'accélère, Bouasso s'arrête et prête l'oreille, puis sourit et reprend son travail.)*

LIVINGSTONE

Que disent les tambours ?

BOUASSO

Oh, rien missié. Ils annoncent une visite. Un homme civilisé.

LIVINGSTONE

Un Anglais ?

BOUASSO

Voui, missié.

LIVINGSTONE

Ah ! *(Très calme.)* Tu mettras un couvert de plus, Bouasso.

BOUASSO

Voui, missié. Je vais rajouter un rat. *(Chant de pagayeurs. Livingstone commence à se déshabiller et prendre son tub. Entre un autre Anglais en casque. C'est Stanley.)*

STANLEY

Le docteur Livingstone, je présume ?

LIVINGSTONE

Monsieur Stanley ? Entrez. Je m'excuse d'être surpris par vous dans cette position indécente.

STANLEY

Je vous en prie ! Entre anciens d'Oxford, quelle importance ?

LIVINGSTONE

C'est vis-à-vis des indigènes que cela compte ! Mais que dit la Reine ?

STANLEY

Docteur Livingstone, Sa Majesté est fière de vous. Mais permettez-moi de jeter un coup d'œil *(il écrase un moustique)*. Sale bête ! Le coin en est infesté. Pourquoi vous êtes-vous installé si près de l'eau ?

LIVINGSTONE

Monsieur Stanley, je suis Anglais. Il y avait une île disponible, j'ai établi mon camp sur cette île. Pas de contact avec le continent, c'est ma devise. Et c'est la vôtre aussi, je l'espère. *(Il s'est habillé.)* Vous dînez avec moi, je suppose ?

STANLEY

J'en serai ravi. *(Ils s'asseyent.)*

LIVINGSTONE

Bouasso ! deux scotch, please ?

BOUASSO

Voilà, missié.

STANLEY *(le désigne)*

Et comment appelez-vous cette population ?

LIVINGSTONE

Ils se nomment eux-mêmes les Gaulois... Ce sont de braves gens, un peu bornés.

STANLEY

On ne peut attendre grand-chose d'un native... *(Il sourit.)*

LIVINGSTONE

Vous l'avez dit. *(Il lève son verre et se lève.)* Monsieur Stanley, je vous propose un toast à Sa Majesté la Reine !

STANLEY

Longue vie à la Reine ! *(Ils boivent.)* Cheerio ! Monsieur Livingstone, j'ai été autorisé par Sa Gracieuse Majesté à vous révéler un des projets les plus considérables de tous les temps.

LIVINGSTONE

Je vous écoute.

BOUASSO *(arrive avec un plat fumant)*

Voilà le rat, missié.

STANLEY

Du rat ! Merveilleux ! Vous savez qu'en Angleterre, pour parler vulgairement, on la saute comme jamais ?

LIVINGSTONE

Je regrette de l'apprendre.

STANLEY *(se sert)*

Mm... ce fumet est exquis. Que mangent les indigènes ?

LIVINGSTONE

Oh, diverses horreurs... du porc, du bœuf...

STANLEY

Pouah !

LIVINGSTONE

Un peu de sauce à la menthe ?

STANLEY

Oui, merci... *(Ils mangent.)* La Reine, vous disais-je... *(Livingstone se lève.)*

LIVINGSTONE

Longue vie à Sa Majesté ! *(Ils boivent.)*

STANLEY

...se propose d'élargir la Seine de votre camp jusqu'à la Manche et de la rendre ainsi accessible à la Navy.

LIVINGSTONE

Ce projet témoigne de son génie, Monsieur Stanley.

STANLEY

Vous n'ignorez pas que ceci fait partie d'un plan d'ensemble qui consiste à supprimer pratiquement toutes les terres existantes pour les remplacer par la mer.

LIVINGSTONE *(se lève)*

Rule, Britannia.

STANLEY

Docteur Livingstone, Sa Majesté m'a chargé de vous décorer de l'Ordre du Bain. *(Entrent les indigènes en armes.)* Mais qu'est-ce ? Une révolte ?

LIVINGSTONE

On le dirait. *(Aux indigènes :)* Que voulez-vous ?

BOUASSO

Vous flanquer à l'eau, missié.

LIVINGSTONE

Quel étrange projet !

BOUASSO

Allez-y les gars !

STANLEY

Un instant ! *(Ils s'arrêtent.)* Vous oubliez quelque chose !

BOUASSO

Ah, c'est vrai ! *(Il déclame.)* Tirez les premiers, Messieurs les Anglais.

Livingstone et Stanley portent la main à leur ceinture et tombent sous les coups.

BOUASSO

La politesse avant tout... *(Il les désigne.)* Vous les mettrez au Panthéon... ça leur fera tellement plaisir...

LIVINGSTONE

All right ! Nous essaierons de faire de vous des gentlemen.

(Ils ajustent lentement leurs arcs, le rideau se ferme.)

(Rentrent le Gaulois et la vendeuse devant le rideau.)

GAULOIS

Alors... le jonc !

VENDEUSE

Ah, mon loulou, ce que j'ai été cave !

GAULOIS

Qu'est-ce que tu me baratines ? Le jonc, je dis !

VENDEUSE *(chiale)*

J'ai rien, mon loulou !

GAULOIS

Mets-toi à table, la môme ! Et pronto !

VENDEUSE

Il avait pas un rotin, l'enfant de vache ! Et rien dans le burlingue ! Un paumé ! Un cave ! I jouait toute la journée avec ses petits griffetons en plomb, comme un vrai locdu, et pour la chose du machin, zéro ! Qu'est-ce que j'avais dans les calots !

GAULOIS

J'te l'avais dit, Jeannette. D'ailleurs, il avait une gueule de poulet, avec son accroche-pipe en tirelire et son fer à souder gros module... Et i t'a... ?

VENDEUSE *(indignée)*

Ah, ça, zéro, alors ! Tu penses que j'allais pas mettre la viande dans le même torchon que ce vioc ! J'y ai filé un coup de chausson dans les valseuses et salut !

GAULOIS

Bon... Je passe l'éponge... Et pisque c'est dimanche, on va pas ouvrir la baraque... On va aller tortorer sur l'herbe !

VENDEUSE *(ravie)*

Oh, merci, mon chéri... je suis tellement seulabre quand t'es pas là... Oh, on va aller là-bas, tu sais *(elle lui parle à l'oreille).*

GAULOIS

On y va. D'ailleurs, ici ça va être bourré de peuple aujourd'hui. *(Ils sortent enlacés et le rideau se relève sur le dernier* [1] *sketch arabe.)*

---

1. Dernier sketch de la version Night Club (voir notre notice).

A L'ARABE

Au lever du rideau, deux Gaulois, l'un mâle et l'autre femelle, sont assis et piquent-niquent. Il peut y avoir un sale gosse gaulois. Signe particulier : il n'y a pas *de vendeuse de souvenirs.*

GAULOIS

Eh ben, c'est pas mal, ce coin... on pourra revenir y casser la croûte.

GAULOISE

Oui, c'est commode, y a de l'herbe et puis il y a l'eau tout près pour y flanquer les épluchures...

PETIT GAULOIS

J'veux faire pipi dans l'eau, j'veux faire pipi dans l'eau.

GAULOISE *(placide)*

Va faire pipi dans l'eau et ne nous ennuie pas, Ambiorix...

GAULOIS

Ce qu'il est braillard, celui-là ! Ça sera sûrement un chef. *(Le petit Gaulois s'éloigne.)*

GAULOISE

Eh ben, mon Victor, si on faisait un petit somme, hé ?

GAULOIS

Ah, toi, tu as de bonnes idées, mémère. *(Ils s'étendent. On entend des cris, revient le petit Gaulois en courant.)*

PETIT

Papa ! Maman ! Des hommes terribles ! Vite ! Vite !

GAULOIS-OISE *(se redressant)*

Oh ! fiche-nous la paix, Ambiorix... *(Apparaissent deux sidis marchands de tapis.)*

GAULOISE

Mais c'est vrai, Victor, regarde donc, la drôle d'allure qu'ils ont, ces deux-là...

GAULOIS

Ma parole ! Ils n'ont même pas de braies, les porcs !

GAULOISE

Oh, oui, mais ils ont des jolis petits chapeaux rouges...

1ier SIDI

Bonjour, mon zami. Ti veux pas achetir li beau tapis, mon zami. Li merveilloux pour faire roupillon sur l'herbe ! Ti veux pas ! Rigarde ! *(Il le déplie.)* Ci pas joli ? Li y a un tigre dessus !

PETIT GAULOIS

Papa ! J'ai peur ! I m'fait peur ! *(Gauloise le calotte.)*

GAULOISE

Assez, Ambiorix ! Va jouer !

2e SIDI

Ci la li encore plis beau, midame... Ti rigardes, ti rigardes et ti jamais fini di rigarder...

1er SIDI *(au Gaulois)*

Ci la il y en a di femmes nues dissus *(le pousse du coude discrètement)*. Si ti li prends, ti li ritournes, pour ki ta moukère elle y voit maccache... *(Il rit.)*

2e SIDI

Et si ti veux pas di tapis, madame, y en a besef besef articles di Paris, épatant, ti touches, ti vois la qualité, ci premier choix...

GAULOIS

Eh ben... Oui, bien sûr, mes gars, c'est du beau, c'est du chouette, mais voilà, on est un peu à sec...

1er SIDI

Mais ci pas cher ! Ci rien di tout ! Tiens rigarde ci la y en a Tour Eiffel dissus, ressemblance kif kif bon dieu.

GAULOISE

Ça nous tente, ça, pour sûr que ça nous tente, mais on n'a pas d'argent.

1er SIDI

Oh, ti vas bien nous achtir quiq' chose... ci pas cher...

GAULOIS

Mon vieux, même tu nous demanderais que trois sesterces... ça serait juste...

2e SIDI

Ah, ci pas assez, ça tout di même... Kiski ti veux avoir pour trois sesterces ?

1er SIDI

Ti fais un effort ?

GAULOIS *(navré)*

Ben, impossible, les gars, je suis vraiment raide... La fin du mois, savez... *(1er sidi conciliabule avec l'autre, voix basse et gestes vifs. Puis le 1er revient.)*

1er SIDI

Dis donc, mon zami, t'as di l'argent quand même, bicose ti installé ici ?

GAULOIS

Oh, on est venu juste en passant, hein... On n'habite pas là.

1er SIDI

Ti veux pas habiter là ? Si ti veux, ji ti vends li terrain ?

GAULOISE

Oh ! Victor ! Dis oui !

GAULOIS

Comment, tu me vends le terrain ? Il est à toi ?

1er SIDI

Bien sûr, qu'il est à moi pisque j'ti li vends !

GAULOIS

C'est vrai, ça. *(Il réfléchit.)*

1er SIDI *(volubile)*

Même que ça s'appelle Paris. Comment ti veux qu'ji sache le nom, si ci pas à moi ?

2e SIDI

C't'endroit-là, ci not' grand-père qui l'a trouvi, et dipuis trois ginirations, qu'on reste ici faire commerce et vend'di zolis tapis et di zarticles de Paris, comment qu'ti veux qu'on fasse si c'itait pas vrai ?

GAULOIS

Ben, oui...

GAULOISE

Oh, dis oui, Victor... je voudrais tant habiter par ici...

GAULOIS

Et combien que tu le vends, ton Paris ?

1ier SIDI

Oh, ci une affaire... J'y perds, mais ji veux ti vende quiqu' chose... *(Il désigne.)* Cinq sesterces ! pour tout ça...

GAULOIS

Cinq sesterces ?

2e SIDI

Ci pas cher.

GAULOISE

Victor... je pourrais peut-être me passer de ce petit chapeau avec des ailes dessus...

GAULOIS

C'est pas donné...Et la peau de zébi que tu voulais acheter, Titine ?

GAULOISE *(montre sa robe)*

Celle-là fera encore bien deux ans...

GAULOIS

Bon. Tu me rabats une sesterce et je te le prends.

1ier SIDI

Ah, ti mi voles ! Ti mi voles ! Mais ti l'air d'un bon gars... ci d'accord !... *(Le Gaulois tope.)*

GAULOIS

Donne-lui les quatre sesterces, Titine...

2e SIDI

Ci moi qui tiens la caisse !

1ier SIDI

Ti vois, ci une affaire... Ti vas construire une maison là-dissus... ou si ti veux on t'en vend une...

GAULOIS

Ah ! non, plus de dépenses... *(Les deux sidis vont partir.)*

SIDIS

Au rivoir, missié dame.

GAULOIS-OISE

Au revoir, au revoir...

GAULOIS *(assis, accablé)*

Eh ben... nous voilà frais... Qu'est-ce qu'on a fait là ?...

GAULOISE

Oh, Victor, je suis ravie ! C'est un coin épatant... Tu vas voir ! Ici, il y aura la cuisine... là, la salle à manger... des placards partout. Hein !... Et pour le petit, il va pouvoir jouer. Oh, Victor, je suis ravie, vraiment ! Merci. *(Elle l'embrasse.)*

GAULOIS *(accablé)*

Eh ben ! Eh ben ! Qu'est-ce que je me suis mis sur les bras !...

RIDEAU

A LA MEXICAINE

VOIX

Le Senor Mario Carapata va maintenant vous présenter la fondation de Paris par les Mexicains, à l'époque où les Incas exceptionnels construisaient le Temple du Soleil aux flancs du mont Nanacati. A vous, Senor Carapata...

DÉCOR : *Désert, cactus, squelette de cheval ou de bestiau quelconque — Pancarte « Seine » en pleine terre. Vendeuse de souvenirs. Au lever du rideau deux hommes couchés dans un coin. — Vêtement mexicain.*

EMILIO

Oh, Mario.

MARIO

Oh *(grogné).* Oh Emilio ?

EMILIO

Tu crois pas qu'il est l'heure ?

MARIO

Quelle heure ?

EMILIO

L'heure de se mettre au travail.

MARIO

Eh tu es fou, on... on vient à peine de déjeuner.

EMILIO

Oui, mais il va bientôt être temps de dîner, alors on pourrait peut-être commencer...

MARIO

Tu te rends compte ! Déjà.

EMILIO

Mario, il faut qu'on creuse.

MARIO

Eh regarde donc, on a déjà mis la pancarte ! On le sait qu'elle sera là, la Seine.

EMILIO

Quand même, il faut qu'on creuse, je te dis. *(Entre un conspirateur mexicain qui porte une bombe et un long manteau, les deux autres ne le voient pas.)*

MARIO

Ah, c'est une belle idée qu'on a eue de venir du Mexique pour fonder une ville ici... *(Le révolutionnaire pose sa bombe et l'allume, elle explose bruyamment.)*

EMILIO

Que se passe-t-il ? Caramba !

CONSPI

Evviva la revolucion !

MARIO

Tu pouvais pas la mettre là, ta bombe, grande cruche !

EMILIO

Tu nous aurais au moins facilité le travail.

CONSPI

Quel travail, amigo ?

EMILIO

La Fondation de Paris. *(Le conspirateur s'assied à côté d'eux.)*

CONSPI

De quel bord êtes-vous ?

EMILIO

Eh, on est pour la revolucion !

MARIO

Je comprends !

CONSPI

Alors, passe-moi ta gourde, camarade. *(Il boit et la gourde repasse de mains en mains.)* Qu'est-ce que vous avez fait ?

MARIO

On a planté la pancarte ; maintenant il faut creuser.

CONSPI

De quelle largeur voulez-vous la faire la Seine ?

MARIO

Comme le canal de Panama, amigo.

CONSPI *(s'étend)*

Quel travail, Virgen de la Guadalupe !

EMILIO

Passe la gourde ! *(Il essaie.)* Eh , mais elle est vide ! *(Il appelle.)* Maria Candelaria !

VENDEUSE

Oui, Emilio Raphaël.

EMILIO

Apporte à boire !

VENDEUSE

Je ne vends rien à boire, amigo, je vends des souvenirs.

MARIO

Alors, apporte-nous tes lèvres de grenade.

VENDEUSE

Santa Virgen ! Polisson ! Pour qui me prends-tu ? *(Arrive un Gaulois.)* Tiens ! Monsieur Dupont !

DUPONT

Eh, bonjour tout le monde ! Alors, ça avance, cet ouvrage ?

MARIO

On est crevés ! Quel climat vous avez ici, Madonna !

DUPONT

On s'y fait, vous savez. Et cette Seine ? C'est une bonne idée. Ma bourgeoise est très intéressée. Pour la lessive.

EMILIO

Ah, le plus dur est fait, la pancarte. Elle est en place.

MARIO

Il n'y a plus qu'à creuser.

CONSPI

Dites, il a une drôle de figure. Pour qui es-tu, camarade ?

DUPONT

Pour Zapata !

CONSPI

Traître ! Perfide ! *(Il allume une bombe et s'enfuit.)* Tiens, brigand ! *(La bombe éclate.)*

MARIO

Oh ! quelle déveine !

EMILIO

La vaca ! Elle a encore éclaté au mauvais endroit ! Passe la gourde, ça me donne soif !

DUPONT

Tenez !... *(Il tend sa gourde.)*

MARIO

Merci. Alors, comme ça, vous vous appelez Dupont ?

EMILIO

Dis, Mario, je veux pas interrompre, mais le travail n'avance pas...

MARIO

Basta !

EMILIO *(boit)*

Oh ! Après tout, hein... On a tout de même deux ou trois mille ans devant nous... *(Il s'étire.)* Si on dormait un peu...

DUPONT

Tout de même, c'est une bonne idée... Allez, je vais prévenir la bourgeoise que ça avance... Au revoir.

MARIO

Basta la vista, amigo... *(Dupont s'éloigne.)*

EMILIO

Et compte sur nous, hein... Il y a déjà la pancarte... *(Guitare, et rideau.)*

A LA SUISSE

VOIX

La Confédération Helvétique, par les soins de son délégué, Herr Grutli-Kussli, vous révèle maintenant comment Guillaume Tell et ses compagnons édifièrent la Confédération Parisienne, voici vingt siècles.

DÉCOR : *Superbement peigné à la Suisse : herbe bien verte, eau très bleue, quelques vaches à clochettes. Vendeuse de souvenirs.*
Entrent les Grutli pérémère augmentés de Guillaume Tell et de son fils.

GRUTLI

Ah ! Enfin un endroit tranquille.

TELL

Y a-t-il des pommiers dans le coin ?

Mme GRUTLI

Ecoute Guillaume, attends un peu, on verra bien... Il y a des choses plus pressées.

GRUTLI

On va demander. *(Il s'approche de la vendeuse.)* Pardon, excusi, Frau Busi, y a-t-il des pommiers dans le coin ?

VENDEUSE

Des pommiers ? Ici ? Pourquoi faire ?

GUILLAUME

Oh, c'est pour un petit truc que j'ai en tête. *(Son fils s'approche.)* Hein, fiston ?

FILS TELL

Oui, papa.

VENDEUSE

Non, je ne crois pas, mais on vous trouvera bien quelque chose. Une orange, ça ne ferait pas ? Ou une boule en verre avec de la neige ? J'en ai une très jolie, là. *(Grutli s'approche.)*

GRUTLI

Est-ce qu'on y voit des montagnes ? Vous en avez une de la Jungfrau ?

VENDEUSE

Ah non, c'est la colline de Chaillot, ça.

Mme GRUTLI

Ecoute Heiri, on en vient, des montagnes.

GRUTLI

Ach, ça m'est égal, moi je voudrais des montagnes partout, j'aime ça.

Mme GRUTLI

Tu ne vas quand même pas fonder Paris en pleine montagne ?

GRUTLI

J'y verrais pas d'inconvénient. Qu'est-ce que tu en penses, Tell ?

GUILLAUME

Moi, ça m'est égal ; pourvu que je trouve un pommier. Hein fiston ?

FILS TELL

Oui, papa.

Mme GRUTLI

Eh bien, mes chéris, si on se mettait à nettoyer un petit peu. *(A la vendeuse :)* Est-ce que vous avez des joncs à battre les tapis ?

VENDEUSE

Vous savez, chez nous, on n'a que des tapis de jonc, alors ça fait drôle...

Mme GRUTLI

Ah, voilà ce que c'est que de faire tout le temps la guerre. Si vous étiez neutres... *(Guillaume a chipé une boule de verre et fait des essais avec son fils.)* Voyez nous autres, nous ne nous occupons pas de guerre. *(Guillaume tire un coup d'arbalète, détonation énorme.)* Ce n'est rien, c'est Guillaume qui s'entraîne.

VENDEUSE

Ce qu'il m'a fait peur !

Mme GRUTLI

Vos hommes à vous ne jouent pas avec leurs armes, le dimanche ?

VENDEUSE

Eh bien ! non, voyez-vous, le dimanche ils s'occupent de nous...

GRUTLI *(qui s'était écarté, revient)*

J'ai trouvé une espèce de petite montagne avec un moulin en haut...

Mme GRUTLI

Oh ! Un moulin ? Quelle drôle d'idée... C'est si simple d'y mettre de la neige, et tellement plus propre.

VENDEUSE

Ça doit être Montmartre, dont vous parlez.

GRUTLI

C'est là que je veux fonder Paris.

VENDEUSE

Vous n'y pensez pas ! Jamais les gens de Montmartre n'accepteront.

Mme GRUTLI

Ecoute. D'abord moi, il me faut de l'eau pour laver les rues. Heiri. Paris, on va le fonder au bord du fleuve... Ça rappelle un peu le lac de Zürich, d'ailleurs. Allons, au travail !

VENDEUSE

Mais il y a déjà des gens, sur le fleuve. Ils ne seront pas contents.

GRUTLI

Comment ça, des gens ?

VENDEUSE

Eh bien oui, les gens de Lutèce.

GRUTLI

Ça n'a aucune espèce d'importance, nous, c'est Paris qui nous intéresse.

VENDEUSE

Mais peut-être qu'ils ont envie de fonder Paris à eux tout seuls.

GRUTLI

Pensez-vous... *(Il rit.)* Mais non ! Pour fonder une ville, vous savez, il faut de l'organisation. Et puis on leur a apporté du chocolat. *(Seconde détonation — Guillaume recommence.)*

GUILLAUME

Allez, Hansli, ne pleure pas.

FILS TELL

Oh, mais j'ai mal à mon bras, papa ! *(Ils reviennent.)*

GUILLAUME

Vous voyez, il faut absolument que je trouve des pommes, jamais ça ne marchera sans ça.

Mme GRUTLI

Guillaume, tu n'es pas sérieux. Que va penser mademoiselle ?

GRUTLI

Tu veux vraiment qu'on aille au bord du fleuve ? Cette montagne me plaît tellement...

Mme GRUTLI

La paix, allez, sors tes écriteaux.

VENDEUSE

Quels écriteaux ?

Mme GRUTLI

On ne peut tout de même pas risquer un mauvais coup avec les gens du fleuve, hein ? *(Ils déballent les écriteaux : NEUTRES — CONFEDERATION PARISIENNE*

— SENTINELLE, NE TIREZ PAS ! et ils sortent cependant que la mère dit :)

Mme GRUTLI

Préparez quand même vos arbalètes, les hommes... Eux, peut-être qu'ils ne sont pas neutres... Dans ce cas-là, il vaut mieux tirer tout de suite au cas où ils voudraient jouer à l'ouverture de Guillaume Tell. *(Ils sortent.)*

RIDEAU

DERNIER SKETCH

Le rideau se rouvre sur le car. L'aboyeur est seul et se redresse complètement ahuri.

ABOYEUR

Eh ! Où sont-ils ? Alors ! Professeur Schwarzendreck ! Monsieur Ceccaldi ! Sidi Ben Yaouf ! Plus personne ! Plus personne... Ils m'ont laissé tout seul... *(Il agite la sonnette.)* Allez ! Allez ! Tout le monde à bord ! Tout le monde à bord ! *(Agite sonnette.)* Personne ? Ah... Ils s'attardent ! Eh bien tant pis... Je ne suis pas à leur disposition, hein !... Vas-y, Arthur ! *(L'autocar s'ébranle et s'en va.)* Par ici, mesdames et messieurs... le pont Mirabeau, la merveille du siècle. *(Sa voix s'éloigne à la cantonade, le pont Mirabeau apparaît sur le rideau qui descend, entrent une clocharde et un clochard.)*

CLOCHARD

Alors ? Ici, ça te plaît ?

CLOCHARDE

Ici, oui... Ça va... Le pont Mirabeau, ça va... Mais le pont Alexandre, alors non ! Ces trucs dorés, c'est d'un goût affreux.

CLOCHARD

Ah, si tu veux... Mirabeau, le Pont Neuf, l'Alma, tout ça c'est pareil...

CLOCHARDE

Comment tu peux dire ça, Léon ? Y en a pas deux qui se ressemblent...

CLOCHARD

C'est tous les mêmes, que je te dis... *(Entre un troisième clochard.)* Tiens... Dugommier... T'es pas de mon avis ?

DUGOMMIER

Quoi ?

CLOCHARD

T'es pas d'avis que tous les ponts c'est pareil ?

DUGOMMIER

Ben... J'm'en fous... *(Il s'assied et bouffe.)*

CLOCHARDE

Ah, non, qu'est-ce que vous avez dans le citron, tous ? Ça a aucun rapport, enfin... *(Arrive une autre clocharde.)* Salut, Maria...

MARIA

Salut, la Mouillette...

CLOCHARDE

Dis, Maria, t'es pas de mon avis ? C'est pas pareil, enfin, tout ça... *(Entrent les derniers clochards, toute la troupe.)* Je sais pas, moi, mais ils sont tous différents, les ponts, et pis y a les monuments, et toutes les petites rues... J'aime ça... Les petites rues avec du soleil... C'est marrant, quand on y pense...

DUGOMMIER

Tu penses trop, la Mouillette...

CLOCHARDE

Non, c'est marrant... Comment ça s'est fait, tout ça... D'où ça vient ?... C'est marrant, je te dis...

MARIA

Oh, c'est venu tout seul...

CLOCHARDE

Tu crois, Maria ? *(Piano, et Maria chante la chanson — le chœur la reprend.)*

CHANSON

Il y a bien longtemps
Y avait personne près de la Seine
Pas d'autos pas d'agents
Pas d'pont d'l'Alma et pas d'habitants

Il poussait des roseaux
Pleins de grenouilles près de la Seine
Il faisait toujours beau
On r'gardait pas passer les bateaux

Et puis un jour ça a changé
Il est venu des hommes
Ils cherchaient un coin pour manger
Un trou pour faire un somme

Ils ont fini leur sauciflard
Et leurs boîtes de sardines
Ils ont torché le nez des moutards
Comme aussi leurs babines
(*Variante :* Et curé leurs canines)

Et puis se sont couchés
Sur l'herbe douce près de la Seine
Paris était fondé
Sans que personne s'en soit occupé.

RIDEAU

LES YEUX CROISES

[vers 1953]

Ce sketch « radiophonique » fut écrit pour Rosy Varte, Pierre Trabaud, Jacques Emmanuel et Jean Claudio. Le texte est, sur ce point, lumineux. En revanche, est plutôt obscure l'indication « Scène I » que nous maintenons par fidélité au manuscrit : ou bien il faut traduire « scène unique » ou bien ce sketch était le premier d'une série écrite par Boris Vian seul ou par Boris Vian et d'autres auteurs, et dont tout le reste est perdu. Egalement incertaine la date de son écriture : 1952 ? 3 ? 4 ? 5 ? Ce sont des années d'intense production de saynètes de cabaret et Rosy Varte — que de plus vastes scènes appelleront bientôt — est alors une des actives interprètes de ce genre de spectacle. Nous posons donc la datation « vers 1953 » sans grande conviction et en attendant mieux. Enfin, le manuscrit ne porte aucun titre ; nous lui infligeons (avec nos excuses) celui de les Yeux croisés, *en guise de commodité mnémonique offerte au lecteur pour la consultation du présent recueil. On voit que sur ce texte les interrogations abondent ; nous y répondrons quand nous le pourrons, grâce, une fois de plus, à l'aide jamais démentie des lecteurs, amis ou amateurs de Boris Vian. Pour nous consoler de nos immédiates insuffisances, nous nous disons que ce sketch, tel quel, sans titre et non daté, se suffit à lui-même.*

N.A.

SCENE I

Bruit de klaxon dans la coulisse. Entre le régisseur ; vieux schnock qui tire une charrette bourrée d'instruments hétéroclites. Il s'appelle Médor.

MÉDOR

Allons ! Naturellement, je suis encore le premier !... Ils sont toujours en retard... Ça veut jouer aux vedettes !... *(Un temps.)* Attends un peu !... Je m'en vais te les faire venir, moi !...

(Il s'arme d'une trompette et d'une casserole et commence à tourner autour de la table en faisant un potin infernal. Entre soudain le chef de la synchro. Il s'appelle Pierre Trabaud, par un hasard étrange.)

TRABAUD

Alors, Médor, ça ne va pas mieux ? C'est encore votre ver solitaire qui vous tracasse ?

MÉDOR *(confus)*

Heu... Non... Heu... Monsieur le chef de plateau... Je... Enfin... Je voulais vous prévenir que j'étais là.

TRABAUD

Ben naturellement que vous êtes là. *(Il regarde sa montre.)* Il est cinq heures et quart... Ça fait une demi-heure qu'on vous attend à côté... Allez... Grouillez-vous... On n'est pas là pour rigoler... Préparez vos trucs...

MÉDOR

Mais oui, Monsieur le chef de plateau... Je me dépêche...

(Les autres acteurs entrent : Claudio, Emmanuel, Rosy Varte.)

TRABAUD

Allez, mes enfants... Tous en place. Vous avez tous vos textes ?

LES AUTRES

Oui.
Naturellement.
Bien sûr.

TRABAUD

Bob... Installez-vous en vitesse. Georges n'est pas là ? Tant pis... On le remplacera... Dommage, mais on doit finir aujourd'hui... Ah !... Ah !... Va falloir en mettre un coup.

ROSY

Pas trop tôt... J'en ai marre, moi de votre Clinique de la Mort... *(Claudio et Jacques renchérissent.)*

TRABAUD

Vous vous rappelez où on en était ? On a les quatre dernières scènes à faire. La scène dans l'aérodrome, la scène où Philippe Marboul démasque le meurtrier, la scène de l'arrestation. Il y a encore un tout petit raccord pour toi, à la fin, Rosy... Le moment où tu tombes dans les bras de Marboul, mais ça ne sera pas long...

ROSY

C'est dommage... *(Emmanuel se rengorge.)*

TRABAUD *(sèchement)*

Bon. Je vais faire Marboul cette fois-ci. Allez, démarrons, les enfants. Médor, vous aurez du boulot avec les avions... Alors, je vous rappelle où on en est. On répète d'abord, et puis, tout à l'heure, on passera le film et on fera les quatre scènes ensemble. Donc, le meurtrier, Wineblood Goldskiff...

CLAUDIO

Pourquoi est-ce qu'on n'a pas traduit son nom, d'abord ?

TRABAUD

Essaye.

CLAUDIO

Wine, vin, blood, sang, gold, or, skiff ? Je ne sais pas moi ? Un skiff, une yole... Ça fait Vincent Oriol... *(Il s'arrête.)*... Oh zut !...

TRABAUD

Tu comprends pourquoi on ne l'a pas traduit ? Ça ferait encore un procès, et ça, on en a assez comme ça. Donc le meurtrier pénètre sur l'aérodrome où il va tuer le gars qui est dans la tour et qui fait de la signalisation aux avions qui s'amènent. Vous pigez ? Y a du bruit, de la confusion, du chahut, des allées et venues et des tas d'avions. Médor mon vieux, va falloir vous décarcasser un peu... La première séquence est entièrement muette. Uniquement bruitée. Médor, vous allez imiter le bruit du radar automatique. Ça fait : Tac... Tac... Tactactac... comme un télégraphe...

(Médor saisit un engin énorme, la mitrailleuse en bois.)

Toi, Rosy, tu pousseras un petit chariot dans le couloir...

(Rosy tire la charrette.)

Toi, Claudio, tu vas faire l'avion qui s'amène, et vous, Emmanuel, vous ferez la sirène du bateau, parce que ces imbéciles là, ils ont trouvé le moyen de coller un fleuve en background... Claudio tu courras vers le micro et tu t'éloigneras. Allez-y, les gars... On commence... Quelle barbe que Georges ne soit pas là... Il est irremplaçable. Allez-y !...

(Chahut infernal.)

TRABAUD

Arrêtez !... Non... Claudio... Toi, tu cours vers le micro, tu t'éloignes et tu reviens... Tu cherches le terrain, tu comprends. Quant à vous, mon vieux Médor, votre radar, c'est une mitrailleuse. Vous allez tuer tout le monde... Prenez quelque chose de mieux que ça... Allez... Recommençons...

(Rechahut infernal. Jacques stoppe.)

TRABAUD

Bon, ça va... Alors, maintenant, on commence à entendre la voix du guetteur qui dit : « Calling Baranca... Calling Baranca... »

EMMANUEL

J'ai entendu ça quelque part...

ROSY

Oui... C'était dans « Seuls les Anges ont des Ailes », il me semble...

TRABAUD

Ben bien sûr. Dans le texte, il y a : « Calling Plane number fifty-one » — Alors on traduit par « Calling Baranca » — parce que le public français est habitué et ça fait plus couleur locale... Et puis, zut... Discutez pas tout le temps. On va enchaîner. Il y a donc la voix qui monte peu à peu et puis qui devient forte, brusquement, pendant que la porte grince. C'est Wineblood qui vient de l'ouvrir. Il tire... tue le guetteur... et file aussitôt après... pour se perdre dans la foule... Mais les portes du bâtiment sont fermées... Mais n'anticipons pas. Allez Médor, tenez-vous prêt. Reprenez votre bruit, mes cocos... On enchaîne sur la suite, lisez... Ah ! Si Georges était là...

(Chahut infernal. Porte grinçante. Voix très forte : « Calling Baranca ». — Coup de feu. Porte claque. Voix stoppée.)

TRABAUD

Bon. Gardez vos textes. Alors, Philippe Marboul s'amène... Rouvre la porte...

(Il fait signe à Médor qui rouvre.)

Continuez votre bruit en sourdine, vous autres... rouvre la porte et se penche sur le mort qu'il regarde dans les yeux. Il s'exclame : je le fais : « Ah !... Ah !... Well, c'est bien ce que je pensais... Il ne l'a pas raté l'animal. Enfin !... » — Alors, Marboul sort et c'est la grande séquence dans le bureau de l'aérodrome. On prend ça tout de suite, Médor, vous suivrez sur le texte pour les bruits. Ne vous inquiétez pas, je ferai les six autres personnages... Wineblood vient de se faire coincer dans le bureau où se trouve la fiancée de Mac Dougal...

(Il désigne Rosy.)

Mac Dougal lui-même qui est accusé de meurtre...

(Il désigne Claudio.)

Le chef de la police que je fais, les deux agents et Marboul qui a couru jusque-là... Je fais aussi la secrétaire et je ne me rappelle plus quoi... Allons-y. C'est toi qui attaques, Emmanuel... Tu accuses Mac Dougal du nouveau meurtre... Bon Dieu !... Quand est-ce que cet idiot de Georges va arriver ?

EMMANUEL *(Wineblood)*

Alors, Mac Dougal, vous allez peut-être nier celui-là aussi, n'est-ce pas ?

CLAUDIO *(Mac Dougal)*

Je ne comprends pas ce que vous voulez dire. Je n'ai pas quitté cette pièce depuis un bon mois...

TRABAUD

Il y a un mois ?... Bon... Alors, laissons-le. Ça doit être un gros plan... Enchaîne, Emmanuel...

EMMANUEL *(Wineblood) (ricane)*

Ah !... Ah !... Vous aurez du mal à vous en tirer comme ça, Mac Dougal. Et je crois que le chef de la Police, ici présent, va être de mon avis. Pas vrai, chef ?

TRABAUD *(le chef)*

Ma foi, Mac Dougal, je voudrais bien que vous m'expliquiez votre présence à l'aérodrome...

(Médor fait un bruit terrible.)

Mais non, Médor, Bon Dieu !... Pas maintenant la bagnole... Faites attention...

MÉDOR *(ton américain)*

Excusez-moi, chef... J'ai passé une page...

TRABAUD

Dites donc, ça vous gênerait de parler normalement. Un peu d'attention je vous prie.

(Reprenant sa voix de synchro.)

Allez-y, Mac Dougal, et tâchez de trouver quelque chose...

(Changement de voix pour interpréter l'agent.)

Faut-il lui passer les menottes, chef ?

(Reprenant la voix du chef.)

Non... Laissez-le, John... Contentez-vous de l'avoir à l'œil.

CLAUDIO *(Mac Dougal)*

Ecoutez, chef, l'explication est simple...

TRABAUD *(Marboul)*

Oui. Elle est simple. Mais si vous permettez, Mac Dougal, c'est moi qui vais la donner. Puis-je avoir un whisky, chef ?

MÉDOR

Voilà. *(Il souffle avec un tube dans une bouteille du mauvais côté et inonde Rosy qui hurle.)*

ROSY

Oh !... Espèce d'empoté... Une robe qui sort de chez le teinturier !... Oh non, alors !...

MÉDOR

Excusez-moi... Euh...

TRABAUD

Ecoutez, Médor, pour la dernière fois, faites attention. Bon Dieu, c'est pas terrible, ce qu'on vous demande. Enchaînons, les enfants...

(Prenant la voix de Marboul.)

L'histoire remonte au printemps de 1923... Mais rassurez-vous... Je serai bref... Donc, au printemps de 1923, dans une pauvre masure de Brooklyn, vivait un ménage d'ouvriers. Le père, d'origine irlandaise, était très superstitieux, quoique brutal. La mère, une pauvre créature inoffensive, se laissait aller à la boisson. L'enfant élevait des araignées dans une vieille boîte de Players en métal, d'importation britannique...

(*Pierre fait signe de basser la voix et d'enchaîner.*)

EMMANUEL *(petit garçon)*

Regarde celle-là... Elle est belle... Je l'ai attrapée ce matin dans le lavatory !

ROSY *(petite fille)*

Oh ! Elle est belle !... Elle est toute noire... Tu me la donnes ?

EMMANUEL *(père)*

Qu'est-ce que c'est ? Tu joues encore avec une araignée, gibier de potence ! Et un matin, encore !... Tiens !...

(Coup de marteau terrible de Médor.)

TRABAUD

Un peu moins sonore, le coup, Médor... C'est un coup de savate...

EMMANUEL *(petit garçon)*

Oh !... Papa !... Tu es très méchant !...

EMMANUEL *(père)*

Ah ah ah !... *(Il s'éloigne.)*

EMMANUEL *(petit garçon)*

Tu sais, Daisy, je vais me venger. Papa déteste qu'on mette les couteaux en croix. Je vais mettre tous les couteaux en croix à déjeuner...

(Shunt.)

TRABAUD

Allez, Médor, bruits de couverts et d'assiettes...

(Médor se démène.)

EMMANUEL *(père)*

Ah !... Qu'y a-t-il à manger ? Comment ? Les couteaux en croix ? Margaret, c'est toi qui a mis le couvert ? C'est toi ?

TRABAUD *(Margaret)*

Oui. Tom. Mais... Tom !... Ah ! Au secours !...

(Râle affreux. Médor se laisse tomber à terre.)

Plus de bruit que ça, Médor !...

MÉDOR

Oh zut !... Je me suis cassé une côte !... La barbe ! A un autre !...

TRABAUD

Comment ? Protestez encore et je vous flanque par terre moi-même... Allez, on continue.

(Il se rapproche du micro pendant que Jacques hurle :)

EMMANUEL *(petit garçon)*

Maman ! Maman !... Maman est morte !...
(Silence brusque.)

TRABAUD *(Marboul)*

Et maintenant, Wineblood Goldskiff, voulez-vous me regarder en face ?

EMMANUEL *(Wineblood)*

Salaud ! Salaud !...

(Bruit de lutte.)

TRABAUD *(chef, agent, Marboul)*

Retenez-le !... Voilà, chef !... Oh !... Le salaud !... Prenez-lui son revolver !...

EMMANUEL *(Wineblood)*

Espèce de rascal !... Vous ne l'emporterez pas avec vous !... Chaque chien a son jour de ripaille !... AH AH AH AH

(Rire de dément.)

TRABAUD *(chef)*

Emmenez-le, mes enfants, et maintenant, Marboul, donnez-nous l'explication.

(Reprenant sa voix normale.)

Et maintenant Emmanuel, tu vas reprendre la voix de Marboul, on n'y verra que du feu. Tant pis, Georges ne viendra plus...

EMMANUEL

Ben zut alors, non !... Si on croit que c'est moi quand il parle, je vais me faire un drôle de tort !...

(Médor tourne sa mitrailleuse.)

Quoi ? Oh, écoutez, Médor, vous êtes idiot.

MÉDOR

Heu... Excusez-moi... Je rêvais...

TRABAUD

Allez, vas-y, Emmanuel...

EMMANUEL

Bon... J'y vais...

(Voix de Marboul.)

Avez-vous remarqué ce que j'ai fait, tout à l'heure, en regardant Wineblood, chef ?

TRABAUD *(chef)*

Non, Marboul, et je serais curieux d'entendre votre explication.

EMMANUEL *(Marboul)*

Eh bien, chef, j'ai louché...

(Naturel.)

C'est idiot, en anglais, ça se dit Cross-eyed... Il aurait fallu traduire d'une autre façon... par exemple...

TRABAUD

Allez... T'inquiète pas... Enchaîne...

ROSY *(fiancée)*

Comment ça, Monsieur Marboul ? Pourquoi avez-vous louché ? Et comment ça lui a-t-il fait cet effet incroyable ?

EMMANUEL *(Marboul)*

Lorsque Wineblood enfant vit mourir sa mère parce qu'il avait croisé les couteaux pour se venger de son père, il fut instantanément traumatisé. Il développa un effroyable complexe de culpabilité qui ne fit que croître à mesure qu'il grandissait. Wineblood détestait les croix qui lui rappelaient la mort de sa mère... Les croix de couteaux, la croix du Christ... Wineblood n'allait jamais à l'église...

ROSY *(fiancée)*

Le malheureux !...

EMMANUEL *(Marboul)*

Je n'ai pas voulu provoquer son blasphème devant les personnes que je respecte, mais si j'avais fait le signe de la croix, Wineblood m'aurait tiré dessus de la même façon...

TRABAUD *(chef)*

Je commence à comprendre, Marboul. Alors toutes ces victimes...

EMMANUEL *(Marboul)*

Regardaient en croix, chef.

ROSY *(fiancée)*

Mais comment ne l'a-t-on pas remarqué, Monsieur Marboul ?

CLAUDIO *(Mac Dougal)*

Je crois comprendre... Monsieur Marboul, n'est-ce pas parce qu'on leur fermait les yeux ?

EMMANUEL *(Marboul)*

Exactement, Mac Dougal. Et maintenant que toute cette aventure n'est plus qu'un mauvais cauchemar, si nous sortions ?

MÉDOR *explose*

Zut ! Zut ! Zut !... Alors ça fait dix minutes que je n'ai rien à faire ? Qu'est-ce que c'est que ce film ?

(Il se met à faire un vacarme effrayant avec tout ce qui lui tombe sous la main.)

TRABAUD

Allons ! Médor !... Médor !... Médor !...

(Il lui donne un grand coup sur la tête. Médor tombe.)

Oh, ce bruit !... Formidable !... Exactement ce que nous cherchons !... Tiens-le, Claudio.

CLAUDIO

Oui... Voilà.

TRABAUD *cogne*

Merveilleux. On va enregistrer une face... Répétez la fin, pendant ce temps-là !...

ROSY *(fiancée)*

Comment vous remercier, monsieur Marboul ? Grâce à vous mon fiancé sort sain et sauf de cette sinistre suite de soupçons.

CLAUDIO

Quel texte !...

EMMANUEL *(Marboul) amer*

Oui... Dans quelques jours, vous serez mariée... Vous m'aurez oublié...

ROSY *(fiancée)*

Croyez-vous qu'on oublie un homme comme vous ? Vous êtes tellement merveilleux, Monsieur Marboul.

EMMANUEL *(Marboul)*

Vous parlez comme une enfant...

ROSY *(fiancée)*

Est-ce que j'embrasse aussi comme une enfant ?

(Long baiser, très long baiser, puis ils s'éclipsent.)

TRABAUD

Hé ! C'est pas dans le texte... Rosy... Rosy...

(Entre Georges.)

Ah, Georges !... Le voilà... Enfin !... Tu n'as pas vu Rosy ? Allez il faut qu'on enregistre...

GEORGES *(extinction de voix)*

Je venais justement te dire que j'avais une extinction de voix...

TRABAUD

Quoi ?

GEORGES *(hurle tout bas)*

Je venais te dire que j'ai une extinction de voix... Tu es sourd, non ?...

TRABAUD *(effondré)*

Bon, tant pis... On enchaîne... Allez, Claudio... Tu feras Rosy et Mac Dougal... Moi, je ferai le reste... Médor !... Le bruit de l'aérodrome... Tiens Georges... tourne la manivelle... Une deux trois...

(Vacarme atroce. Le rideau choit.)

CINEMASSACRE

[1952]
1954

Cinémassacre *(que les journalistes, même les mieux informés, nommèrent, dès sa naissance,* Ciné Massacre, *avec ou sans trait d'union) fut créé à la Rose Rouge, dirigée par Nico, le 8 avril 1952. Son titre complet :* Cinémassacre ou les Cinquante ans du Septième art *se voulait historique, mais retardait de sept ou huit ans l'année jubilaire de l'invention du cinéma, et d'un peu plus encore si l'on doit remonter des frères Lumière à Edison ou à Marey. Le spectacle se fondait sur une « idée originale » (locution éminemment cinématographique) de Pierre Kast et Jean-Pierre Vivet. « Scénario et dialogues » (pour rester dans le vocabulaire du métier) étaient de Boris Vian ; les décors de Jean-Denis Malclès.*

La scène de la Rose Rouge s'allumait à 23 heures. On entendait d'abord chanter Picolette (dont Boris Vian, directeur artistique de Fontana, se souviendra, et il la décorera d'une jolie pochette signée Anna Tof) ; on voyait ensuite le mime Marceau dans son personnage de Bip, puis dans l'Importun, *une pantomime en cinq épisodes, avec Marie Mercey et Edmond Tamiz. Vers minuit, le spectacle proprement dit de la Rose Rouge commençait :* Cinémassacre, *joué par la Compagnie de la Rose Rouge : Yves Robert, Rosy Varte, Jean-Marie Amato, Jacques Hilling, Guy Pierauld, Pierre Robert et Edmond Tamiz, dans une mise en scène d'Yves Robert et Jean Bellanger. Il était 2 heures du matin bien sonnées quand les spectateurs, rassasiés et ravis, quittaient leurs fauteuils. Avec 400 représentations,* Cinémassacre *fut un des spectacles les plus courus de la Rose Rouge qui, pourtant, n'en avait pas épuisé le succès puisque le 1er mai 1954, Jacques Canetti le reprendra sur son théâtre des Trois Baudets dans une nouvelle mise en scène d'Yves Robert et de nouveaux décors de Jean-Denis Malclès, et le maintiendra neuf mois encore à l'affiche. Au total,* Cinémassacre *aura occupé Paris près de quatre années, un record qu'aucun autre « petit spectacle » de Boris Vian n'approchera, même de loin.*

Aux Trois Baudets, Philippe Clay remplace Yves Robert ; mais la troupe de la Rose Rouge a détaché sur la Rive Droite quatre des comédiens de la création : Rosy Varte, Edmond Tamiz, Guy Pierauld et Jean-Marie Amato ; Bob Dupac et un apprenti Jean Yanne complètent la distribution. En première partie, il y a Philippe Clay dans son répertoire (avec quelques chansons de Boris Vian), Jacques Brel à ses débuts et Fernand Raynaud. Un critique de variétés qui a des lettres Christian Mégret rappelle une des théories d'André Malraux selon laquelle toute œuvre naît moins de l'observation du monde extérieur que d'une autre œuvre préexistante ; il estime, en le déplorant, que le cinéma procède bien ainsi, par une succession de poncifs. A ses yeux, Cinémassacre *dénonce le mal majeur du cinéma qui est la convention ; la pertinence et la virulence du spectacle de Boris Vian lui paraissent plus sensibles encore à la reprise aux Trois Baudets que lors de la création à la Rose Rouge.*

Cette appréciation de Christian Mégret (dans Arts et Lettres *du 9 juin 1954) est réconfortante puisque nous ne possédons pas la version de* Cinémassacre *jouée à la Rose Rouge. La version ici publiée est celle des Trois Baudets qui est une version « remaniée ». Nous la devons à l'obligeance de Jacques Canetti. Il n'est pas commode de reconstituer la continuité du spectacle, chaque sketch étant séparément dactylographié et tous se trouvant mêlés comme dans un jeu de cartes. Autrement dit, sauf pour le premier sketch (gangsters), l'ordre dans lequel les sketches défilaient devant le public n'est pas évident. Un sketch, annoncé dans le prologue (film à la Pagnol), ne figure pas au dossier.*

D'après les coupures de presse sur les représentations de la Rose Rouge, on peut rechercher une équivalence entre les sketches du spectacle initial (dont les titres nous sont, pour la plupart, connus) et les sketches des Trois Baudets (généralement sans titre dans notre copie). Ce rapprochement donne des résultats à peu près sûrs pour quelques sketches, douteux pour d'autres.

Guy Dornand, dans un article de Libération *du 12 avril 1952, nous dit que le spectacle de la Rose Rouge comportait dix sketches. Nous n'en retrouvons que neuf dans le dossier des Trois Baudets (sauf, pour atteindre le chiffre 10, à compter le prologue). Dans l'article de Guy Dornand, huit sketches sont cités (parfois avec leur titre) ; les deux autres nous reviennent grâce à un article d'André Warnod et à un article signé P. Gx. Voici donc la liste des sketches de la Rose Rouge (colonne 1) et la liste des sketches des Trois Baudets (colonne 2) correspondant plus ou moins, ou pas du tout, à ceux de la Rose Rouge :*

ROSE ROUGE	TROIS BAUDETS
. ?	. Prologue
. Film de gangsters (Alfred Hitchpoule)	. Gangsters
. *Le Voleur de culotte* (Vittorio de Simca)	. *Ladri de culotta miraculosa*
. ?	. Un Parisien à Nouillorque
. *Juliette ou la Clé des Brumes* (Marcel Carré)	. Sans titre (avec Gabin, Michel Simon, Michèle Morgan, indéniable parodie synthétique des films de Marcel Carné)

. *Air Farce*	. *Air Farce*
. *Cléopâtre et Androclès* (Cecile B. de Cent Mille)	. Historique (sans autre titre, mais correspond bien à *Cléopâtre et Androclès)*
. *La Rédemption de Marthe Durand* (Maurice Cloche, dans une mise en Cène de L. de Vinci)	. Sans titre (mais même thème de la conversion d'une putain, qui — malheureusement — ne s'appelle pas ici Marthe, mais Blanche)
. *Au Pays des Botacudos*	. Exotique (sans autre titre ; comme dans le sketch de la Rose Rouge, met en scène Tarzan mais se prive du chimpanzé Léon Dupont qui apparaissait à la Rose Rouge)
. Film d'horreur	. Film d'horreur (mélange de Frankenstein, de Dracula et du « Docteur Jekyll et Monsieur Hyde »)
. Film à la Pagnol	. ?
. Film publicitaire	. ?
. *Le Barman récalcitrant* (Charlot, « muet »)	. ?

Nous nous apercevons soudain avec stupéfaction que notre liste Rose Rouge mentionne onze sketches, et non dix, et nous pourrions même en énumérer douze si le « mélo d'atmosphère à la Simenon » qu'évoque un chroniqueur du temps — sans doute peu ferré en cinématographe — ne se confond pas avec la parodie de Marcel Carné ou celle de Maurice Cloche (toutes deux très « atmosphériques »), le susdit chroniqueur ayant en outre découvert (ce qui ferait treize sketches !) « un drame noir à la Graham Greene » qu'il distinguait peut-être dans Carné ou dans Cloche ou encore, pourquoi pas ? chez le Voleur de Culotte. *Tous les sketches, dans les deux versions, ont pour décor un bar (ou un bistrot ou un bouge) et tous débutaient à la Rose Rouge et beaucoup aux Trois Baudets par cette remarque déprimante : « Quel temps ! » On conçoit que les spectateurs et les critiques imbibés de métaphysique n'aient pas toujours su à quel réalisateur se vouer. Boris Vian avait découvert — whisky, hydromel ou perniflard — le fondement de toute métaphysique.*

L'affaire de Cinémassacre *illustre bien les difficultés que rencontre le bibliographe ou l'éditeur quand il s'occupe de productions éphémères. A deux doigts de ranger dans ce martyrologe les historiens de l'éphémère (voir notre avant-propos : Au pied du rideau), nous nous sommes avisé que les historiens travaillent sur des restes et que l'éphémère concréfié a cessé d'être éphémère, même si — et c'est fréquent aujourd'hui et c'est excellent — l'historien attache autant d'importance à la trace d'un baiser sur une peau de fesse qu'aux traités de Westphalie.*

De la revue de cabaret, dont on sait qu'elle est souvent réécrite et, en tout cas, remaniée sur scène, aux répétitions et même après la générale selon les réactions du public, il ne suffit pas de posséder un *texte qui est celui de l'auteur, le texte premier ou texte-mère, pour affirmer qu'on transmet au lecteur, dix ou vingt ou trente ans après, les paroles réellement prononcées naguère par les comédiens et entendues par les spectateurs. Et quand une revue de cabaret a connu deux versions (au moins), il n'est pas de plus mauvais témoins que ceux qui eurent le privilège d'ouïr, à deux ou trois ans d'intervalle, ces deux versions et à qui l'on demande, passé un quart de siècle, lequel des sketches appartenait à la version initiale et lequel à la version « remaniée ». Ils conservent le souvenir d'une agréable soirée (*Cinémassacre *reçut un accueil unanimement favorable) et pour eux les deux spectacles n'en font plus qu'un.*

La date de réalisation — antérieure, eût dit Monsieur de La Palice, mais parfois de plusieurs années à la date de distribution des films parodiés dans Cinémassacre *—*

n'est qu'un élément de présomption à manipuler avec prudence. Sans prendre un exemple extrême, Un Américain à Paris, *achevé en 1951, se retrouvera dans* Un Parisien à Nouillorque *aux Trois Baudets en 1954 ; il aurait pu, en théorie, inspirer le même sketch pour la Rose Rouge dès 1952 ; or on ne l'y verra pas pour la simple raison que sa carrière commerciale débutera cette année-là (et Boris Vian n'avait pas été invité au tournage).*

Nous ne pécherons pas par excès d'optimisme en nous persuadant — et nos lecteurs — que la version Rose Rouge de Cinémassacre *réapparaîtra un jour. Songeons que la version Trois Baudets — qu'on croyait pareillement perdue — a réémergé voici peu ; sa publication stimulera — nous n'en doutons pas — le zèle des chercheurs (et nous en appelons d'abord à ceux qui, à des titres divers, participèrent au spectacle de la rue de Rennes) ; bientôt peut-être ils nous conduiront jusqu'au texte princeps auquel nous réservons déjà une place dans une réédition de ce recueil. Mais pour le lecteur il manquera toujours la mise en scène d'Yves Robert, le jeu de comédiens d'un rare talent et — c'est à craindre — ces « génériques », miraculeusement rescapés de* Ça vient, ça vient, *qui, à eux seuls, comblaient de joie les noctambules d'un Saint-Germain-des-Prés chancelant, mourant peut-être, mais de rire.*

N.A.

PROLOGUE

PRODUCTEUR

Allô, oui ... 700 tonnes de gouane ... Du gouano ... du guano, quoi ; du chose de pigeon.

SCÉNARISTE

Pardon, Monsieur.

PRODUCTEUR

Permettez, un instant ... Pour le prix ... Pour le prix passez me voir demain, on s'arrangera toujours. Allez, au revoir, à demain.
Alors qu'est-ce que vous me disiez, vous ?

SCÉNARISTE

Eh bien, voilà, Monsieur, j'étais venu vous voir pour ce film... Vous savez, je vous ai téléphoné, l'autre jour.

PRODUCTEUR

Ah ben ! Ah c'est au producteur que vous vous adressez. Parfait, le voilà. *(Il met ses lunettes.)*

SCÉNARISTE

Oui, voilà, j'ai eu l'idée d'un scénario, alors je suis venu vous l'apporter.

PRODUCTEUR

Compliments, compliments.

SCÉNARISTE

Oh ! Vous savez, c'était très simple.

PRODUCTEUR

Combien de personnages ?

SCÉNARISTE

Eh bien, en principe, deux : un homme et une femme.

PRODUCTEUR

Dites donc, ça me paraît un excellent point de départ.

SCÉNARISTE

Oui, oui, oui...

PRODUCTEUR

Et ils s'aiment ?

SCÉNARISTE

Oui, oui, oui...

PRODUCTEUR

Eh bien, jusque-là ça me paraît assez nouveau dites donc.

SCÉNARISTE

Oui, oui, oui...

PRODUCTEUR

Pour les décors, pas de grosses machines coûteuses, hein ?

SCÉNARISTE

Non, non, non... A l'origine j'avais pensé à un seul décor : un bar. Et puis il pleuvrait dehors et les gens entreraient dans le bar.

PRODUCTEUR

C'est excellent tout ça, excellent... Tout à fait pour Carné.

SCÉNARISTE

Ah ! bon, vous pensez que Carné va pouvoir faire un film comme ça, vous ?

PRODUCTEUR

Mais c'est exactement ça. Un bar, c'est tout à fait pour Carné.

SCÉNARISTE

Oui, oui, oui... Moi, j'avais pensé que De Sica plutôt aurait peut-être fait une chose un peu plus...

PRODUCTEUR

Oui, De Sica, il aurait pu...

SCÉNARISTE

J'avais pensé à Hitchkoch aussi.

PRODUCTEUR

Ah ! le petit gros !

SCÉNARISTE

Oui, le petit gros. La fille aurait les cheveux dans les yeux.

PRODUCTEUR

Ah ! c'est Véronica Lake, ça.

SCÉNARISTE

Oui, c'est ça. J'avais pensé aussi à un bar très sombre ou noir.

PRODUCTEUR

Avec des nègres ?

SCÉNARISTE

Oui, si vous voulez. Eh bien, alors ça se passerait dans l'Afrique du Sud. Y auraient des danseuses nues, y aurait Dorothy Lamour, y aurait Tarzan, il se frapperait la poitrine.

PRODUCTEUR

Attendez, attendez, attendez... Vous savez ce qu'on va faire ?

SCÉNARISTE

Non.

PRODUCTEUR

Je vais vous le dire. On va demander à chacun des metteurs en scène que vous venez de citer une bobine d'essai.

SCÉNARISTE

Ah ! ça alors, Monsieur le Producteur, vous avez une idée excellente.

PRODUCTEUR

Moi, je vois ça très bien parti. Un grand concours avec une élection de miss Cinéma.

SCÉNARISTE

Avec une belle fille, hein ?

PRODUCTEUR

Une très belle fille.

SCÉNARISTE

J'en connais une.

PRODUCTEUR

Il faut l'amener.

SCÉNARISTE

Si celle-là vous plaît pas...

PRODUCTEUR

Vous en amènerez une autre.

SCÉNARISTE

Oui, oui, oui... C'est ma sœur.

PRODUCTEUR

Ah ! Tant pis. A qui aviez-vous pensé encore ?

SCÉNARISTE

J'avais pensé à Cécile B. de Mille aussi. Un film en Cinémascope avec un bar en pierre de taille de 25 mètres sur 15, avec des colonnes qui partiraient au ciel.

PRODUCTEUR

Dites donc, pas cher, pas trop cher.

SCÉNARISTE

Non, non, non... Avec des lions qui sauteraient le bar.

PRODUCTEUR

Des petits.

SCÉNARISTE

Oui, oui, des petits lions pas chers.

PRODUCTEUR

C'est ça des petits lions pas chers.

SCÉNARISTE

J'avais pensé à Pagnol aussi.

PRODUCTEUR

Marcel, c'est un collègue. Il m'écrit souvent.

SCÉNARISTE

Il vous envoie des lettres.

PRODUCTEUR

Oui, oui, il m'envoie des lettres de son moulin.

SCÉNARISTE

Pour Pagnol, y aurait un bar marseillais avec la porte qui s'ouvrirait sur le vieux port.

PRODUCTEUR

Oui, je vois, quelque chose de bien chaud, bien gai, bien parisien.

SCÉNARISTE

.....! ? !

PRODUCTEUR

A propos d'Hitchkoch, qu'est-ce que vous me disiez tout à l'heure ?

SCÉNARISTE

Eh bien voilà, la fille aurait les cheveux dans les yeux et puis il y aurait les autos de la police...

PRODUCTEUR

Alors ça, c'est le film de gangsters. Nous allons le faire immédiatement. Dites-moi, rappelez-moi votre nom, petit...

SCÉNARISTE

Victor Hugo !

PRODUCTEUR

Oh ! le petit misérable...

GANGSTER

Le bar vide. Un barman essuie négligemment un verre qu'il couvre au préalable de son haleine fétide. Bruit de bagarre dans la rue, au loin. Voitures. Coups de frein et de feu.

Entre en coup de vent un individu. Deux Lüger en main. Il abat le barman. Passe prestement derrière le bar, quitte manteau et chapeau et réapparaît en barman à veste blanche. A la seconde même, entrent deux flics dont un civil.

INSPECTEUR

Hello. T'as vu personne, vieux ?

BARMAN

Pas la queue d'un. Grave ?

INSPECTEUR

Il a descendu sept flics et un bijoutier et il s'est calté, la vache.

BARMAN

Il doit être loin.

INSPECTEUR

Il a pas pu quitter le quartier.

BARMAN

Je vous offre un coup, les gars ?

INSPECTEUR

Pas de refus. Qu'est-ce que tu prends, Larry ?

LE FLIC

Une blonde bien roulée. *(Ils vont à la porte, tournant le dos au barman qui les descend comme au stand, prestement les empile derrière le bar et essuie le sang. Entre une fille. Le barman repasse derrière. Il a l'air un peu plus grand, on devine qu'il monte sur les cadavres. De temps en temps, il plongera.)*

LA FILLE

Salut Chick. On dirait qu'y a du ramdam dans le coin.

BARMAN *(sourit)*

Salut Bébé ! *(Elle reconnaît une voix différente et se retourne vers lui.)*

LA FILLE

Mais...

BARMAN

Je remplace Chick.

LA FILLE

Qu'est-ce qu'il a ?

BARMAN

Il est malade.

LA FILLE

Mais comment ça se fait ?

BARMAN

L'estomac.

LA FILLE

Quoi ? Il digèrerait de l'acier.

BARMAN

En tout cas, il digère pas le plomb. *(Elle va pour crier, il l'empoigne et lui file un patin de quarante-cinq tours de bobine. Elle reste hébétée, dans le cirage.)*

LA FILLE

Barman, remettez-moi ça... *(Il repique au truc.)*

BARMAN

Et tu la boucles, sans ça... *(Il montre son Lüger. Entrent deux clients ouvriers en casquette à longue visière, complet civil.)*

1ier TYPE

Hello, Chick !

BARMAN

Chick est pas là. Je le remplace.

2e TYPE

Comment ça se fait ? Y a dix minutes il m'a offert un verre.

BARMAN

Eh ben, ça sera ma tournée à moi.

1ier TYPE

C'est quand même marrant... Il est jamais malade, Chick.

BARMAN

Il est pas malade, il est mort subitement.

1er TYPE *(se marre)*

Ah... Ah... Ah... Elle est bien bonne, celle-là. *(Au barman :)* T'es un rigolo, toi.

2e TYPE

Oui, c'est très marrant. *(Il ne quitte pas le barman des yeux.)* Votre figure me rappelle quelqu'un.

BARMAN

Sans blague ? *(Il attend que l'autre boive, tend le Lüger à la fille avec un signe et assomme d'un coup de poing terrible le deuxième ; soupçonneux, le premier va crier.)*

BARMAN

Bouge pas. T'es mort. *(A la fille :)* Fouille-le. *(Il quitte le bar, descend le gars d'un coup de poing terrible.)* Passe-moi la seringue... *(Il achève les deux types d'un coup dans la nuque.)* Allez... Passe-moi la marchandise...

LA FILLE

Embrasse-moi...

BARMAN

Passe-moi la viande que je te dis...

LA FILLE *(écarte son corsage)*

Prends-moi... là... sur leurs cadavres. *(Il lui file une paire de beignes terribles.)*

BARMAN

Ben ! J'aime pas les vicieuses, moi. *(Il trimbale les cadavres, elle l'aide... Il repasse derrière, il a l'air encore plus grand.)*

LA FILLE

Embrasse-moi... Comment tu t'appelles ?

BARMAN

T'occupe... *(Il prête l'oreille, sirènes de la police, il sort du bar.)* La police, amène-toi. *(Il l'embrasse terrible, elle s'évanouit presque, il la cueille d'un direct et la colle derrière le bar. 5 heures sonnent.)* 5 heures... c'est l'heure de fermer. *(Il remet sa veste, décroche le chapeau du barman, prend sa petite valise, et sort posément en fermant la porte.)* Bonsoir tout le monde...

(Rire sinistre et soudain, coups de feu. Il s'effondre.)

Les vaches... Les vaches... *(La fille sort en rampant de derrière le bar, ils se rejoignent en rampant au milieu du plancher et s'étreignent.)* Embrasse-moi... Embrasse-moi... *(Puis il meurt.)*

LA FILLE

Et je ne sais pas son nom... je sais même pas son nom... *(Elle prend le Lüger. Deux inspecteurs entrent. Elle les abat et les traîne derrière le bar. Entre un client.)*

CLIENT

Salut.

LA FILLE

Salut, je remplace Chick. *(Encore un ou deux meurtres, puis quelqu'un s'amène avec une grosse pancarte :* ETC., ETC.

RIDEAU

LADRI DE CULOTTA MIRACULOSA
ITALIEN

Bar avec chianti et guitariste. Un client boit au bar, le guitariste est assis près du bar (ou sur le bar) et joue, le barman fredonne en dégustant des olives. Entre, affolé, le pauvre Giuseppe. Il est en caleçon, un seau et un pinceau de colleur d'affiches à la main.)

GIUSEPPE

La culotta ! Madonna ! a la culotta !

BARMAN

Bon giorno Giuseppe !

GIUSEPPE

M'a vola la culotta ! Oh porca di Madonna, de bougre de bougre de ladrone ! Ma culotta ! Et comment je vais coller mes affiches !

BARMAN

Oh ! bois un coup Giuseppe, je te l'offre.

GIUSEPPE

Mais la culotta ? Mamma mia, et comment je vais aller à mon travail ?

Francesco ! Francesco ! Et où il est cet enfant ? Peccato ! Qu'est-ce que j'ai fait à la Madonna ! *(Entre Francesco, un gosse un petit peu trop grand qui va vers son père et lui prend la main.)* Ah ! te voilà Francesco ! Et tu flânais encore pendant qu'on la volait la culotta à papa ! Oh malheur ! Le figlio il se promène et la culotta elle s'envole ! Et qu'est-ce qu'elle va dire Angelina ? Tiens, lazzarone ! *(Il calotte son fils ; regard dur de l'enfant qui s'en va sans dire un mot. Silence. Puis on entend un plouf volumineux.)*

Francesco ! Francesco ! Tu t'es tout de même pas jeté dans le Pô pezza d'asino ? Francesco ! *(Il court.)* La culotta et puis le figlio, Madonna ! *(Entre un vagabond.)*

VAGABOND

La bella culotta à vendre... Cinq cents lires, signori... Toute neuve !

BARMAN

Et tire-toi de là, macaroni ! On a tous la culotta... *(Rentre Giuseppe suivi de Francesco.)*

GIUSEPPE

Allez ! Je te gronderai plus, lazzarone, mais mi flanca piu la frousse comaco, figlio... *(Il lui tapote la tête.)* Il m'a fichu la courante, je croyais qu'il s'était flanqué dans le Pô et il a juste poussé un vieux pistollezzi avec une barba bianca.

VAGABOND

Volete achietare la culotta ! *(Giuseppe le regarde, le reconnaît.)*

GIUSEPPE

Ma que ! C'est lui ! le ladrone de culotta !... *(Le vagabond file et Giuseppe lui court après et se casse la gueule devant le bar. Chapelet de jurons.)* Porca di Madonna di Rosellini di Sica di chiotta di merda di cornio de ladrone à la manca che mi vola la culotta et me laissé le pétard en plein aguilons, et que je peux plus coller mes affichissime... Merda di merda di merda. *(Ses yeux tombent sur le postère du client qui est au bar. Il regarde son fils qui ne regarde pas, surveillant une mouche.)*

CLIENT

Ma ! Quel temps qu'il fait, Angelo !

BARMAN

Si ! qué ça fait au moins huit saisons qué ça doure...

(Giuseppe s'approche du client et commence à lui déboutonner ses bretelles et sa culotte et à lui retirer. Pour le passage des jambes, il lui chatouille le creux des genoux et l'autre lève la jambe chaque fois. Enfin, il retire la culotte et s'enfuit, mais Francesco le regarde.)

GIUSEPPE

Me ragarde pas cosi, figlio.

FRANCESCO

Oh ! Papa... Papa mio... *(Il pleure.)*

CLIENT *(se fouille pour payer)*

Je te dois cinquante lires, Angelo. Ma culotta ! Dove esta la culotta... *(Il voit Giuseppe.)* Rends ma culotta, fripouillissime... *(On entoure Giuseppe qui se met à pleurer sans rien dire.)*

CLIENT

Allez... va... je porterai pas plainte... *(Il s'en va en hochant la tête et sort. Arrive Angelina genre Magnani.)*

ANGELINA *(voit Giuseppe seul au centre, sans culotte)*

Ma que ! où esta le falzaro !

GIUSEPPE

Un ladrone qui me l'a calotté...

ANGELINA

Oune culotta qu'elle te venait de ton arrière grand padre ! Giuseppe ! Et la marmita ! come que je vais la faire bouillir ?

GIUSEPPE

Ah ! je sais pas Angelina... *(Entre le vagabond.)*

VAGABOND

Culotta extra grandissima... trecente lire... c'est un cadeau... *(Les autres absorbés voient rien, il sort.)*

FRANCESCO

C'est lui ! papa ! le ladrone ! *(Giuseppe et Francesco sortent en courant et Angelina s'approche du bar.)*

ANGELINA

Un chianti, Angelo... *(Le guitariste rechante.)*

BARMAN

Tu n'as pas l'air inquiet, Angelina...

ANGELINA

Basta... *(Elle relève sa jupe, elle a une culotte d'homme roulée aux genoux.)* Je lui demandais pour rigoler, Angelo... La culotta à Giuseppe, c'est moi qui la porte... le povero, il est un peu passo... A la tienne Angelo !

GUITARISTE

As tou vou
la culotta, la culotta.

(Rentre Giuseppe, culotte à la main.)

GIUSEPPE

La culotta ! je l'ai retrouvée. *(Stupeur des autres.)*

ANGELINA

Et comment as-tu fait, Beppo...

GIUSEPPE *(clin d'œil)*

Eh ! j'ai fait un miracle.

ANGELINA

Un miracle ?

ANGELO

C'est pas pour rien qu'on est à Rome, non ?

(Jeu de mots intraduisible en français.)

RIDEAU

UN PARISIEN A NOUILLORQUE

DÉCOR : *un bar en technicolor, le barman nettoie des verres.*

Il a un melon et un cigare et un gilet. Un client est là, qui boit du whisky et repose son verre.

BARMAN

Je te remets ça, Dick ?

DICK

Si tu veux, Mac. Il est pas piqué des vers, ton lait de chèvre.

BARMAN

Boum ! Voilà ! *(Il verse.)* Quel temps, hein !

DICK

Un temps à ne pas mettre Natalie Kalmus dehors...

(Entre le Français, agité, canotier.)

FRANÇAIS

Mande pardon... Je suis bien à Nouillorque ?

DICK

What do you say ?

FRANÇAIS *(gestes)*

Nouillorque ? C'est ici ? I am in Nouillorque. *(Affreux accent.)*

DICK

Sure ! *(Il revient à son verre.)*

FRANÇAIS

Fantastique ! *(Il se tourne vers la porte et appelle.)* Bobonne ! c'est bien là ! *(Paraît sa femme, très bourgeoise en vacances, avec filet à crevettes.)*

BOBONNE

T'es sûr que c'est là, Alfred ?

FRANÇAIS

Sur ! *(Au barman :)* Compliments ! Ici, au moins, vous avez des chauffeurs de taxi qui connaissent le chemin.

(Dick regarde la Française avec lubricité.)

DICK

Give me a french Kiss !

BOBONNE

Mais qu'est-ce qu'il veut dire, Alfred, écoute ! Oh, alors, cette langue qu'ils parlent ! *(A Dick :)* Vous ne pourriez pas apprendre le français comme tout le monde ?

DICK

Embrasse-moi... Je vois la vie en rose !...

BOBONNE *(rit, flattée)*

Oh qu'il est bête, ce grand serin !

DICK *(l'enlace)*

Viens !

BOBONNE

Alfred ! Je peux y aller ?

FRANÇAIS

Mais oui, voyons, ma chérie... On est en vacances !

BARMAN

Oh ! C'est immoral ! *(Bobonne sort avec Dick.)*

FRANÇAIS *(Musique « Singing in the rain »)*

Et voilà, je suis seul !
Dou dou dou dou doulou doulou dou dou (*bis*)
Seul dans ce p'tit bar
Je vais me mettre à boire
Pendant que ma souris
Visite le pays.
Avril à Nouillorque
Il fait un temps de porque
Et je vais
M'ennuyer
Comme un Nö japonais
Je suis à Nouillorque
Par ce temps de porque
Qu'est-ce que j'suis v'nu faire
Dans c'pays tout en fer
(Il danse, la lumière baisse... Il se ressaisit et tape sur le bar.)
Barman ! Un Pernod !

BARMAN

What ?

FRANÇAIS

Un perniflard ! et pronto !

BARMAN

Yep ! *(Il sert le Pernod.)* Pernod américain ! *(Geste du pouce.)*

(Le Français boit et s'étrangle.)

FRANÇAIS

Aâââh ! *(Tout se brouille, lumière bleue, le barman a disparu.)*

Entre une fille terrible en collant noir. Il retire la tête de ses mains. Elle s'approche. Ballet muet qui se termine par un baiser. Il reste pantelant. Elle disparaît. La lumière et le barman reviennent.

FRANÇAIS

Barman !... Cette fille... qui était-ce...

BARMAN

Just an old girl...

FRANÇAIS

Mais enfin...

BARMAN

Elle joue dans la revue en face. *(Le Français va à la porte et regarde l'affiche. On voit : « Renée Jeanmaire. The girl in pink tights ».)*

FRANÇAIS

Zizi Jeanmaire ! *(Il s'effondre.)* Et j'ai fait cinq mille kilomètres de taxi pour en arriver là !...

RIDEAU

[*SANS TITRE, CARNÉ*]

L'Homme : Michel Simon Le mec : Gabin
Le patron : Carette Son pote : le destin, clochard
La fille : Morgan

HOMME *(entre)*

Quel temps !

BISTRO

Oui et ça fait huit semaines que ça dure... *(L'homme retire son chapeau, un ruisseau d'eau coule par terre.)* Et qu'est-ce que je vous sers, aujourd'hui, monsieur Mouche ?

HOMME

La même chose que d'habitude...

BISTRO

Un vermouth cassis... un... *(L'homme observe le décor, la jeune fille assise dans un coin, avec un ciré noir, l'œil fixe.)*

HOMME *(mi-voix)*

Qui c'est celle-là ?

BARMAN

Sais pas. Elle est arrivée tout à l'heure. Elle a pris un Viandox. Ils prennent toujours des Viandox. Ou des œufs durs, qui font un petit bruit terrible sur le comptoir.

HOMME

Elle est seule ?

BARMAN

Non. Elle était avec un type. Un grand plombier zingueur, je crois. Il vient de partir sans payer ses consommations.

HOMME

Hum... elle est intéressante, cette petite...

BISTRO

Non, un Viandox, ce n'est pas une fille intéressante.

HOMME

Hum... *(Il prend son verre et va s'installer à la table de la fille.)* Vous permettez, mademoiselle ?

FILLE *(elle le regarde avec de grands yeux vagues)*
Si vous voulez.

HOMME

Il me semble pas vous avoir vue en ville. Vous êtes d'ici ?

FILLE *(vague)*

Non... je viens de là-bas.

HOMME

Est-ce que je peux vous offrir une consommation ?

FILLE

Si vous voulez.

HOMME

Patron !... *(à la fille)* Que prendrez-vous ?

FILLE *(l'œil affamé)*

Un œuf dur ! *(Le patron hausse les épaules et l'apporte. Elle l'engloutit avec la coquille. — Peut se faire en meringue.)*

HOMME

Hum... Vous avez l'air d'avoir faim.

FILLE

Non. *(Elle se rapproche, lubrique.)*

HOMME

Pourquoi êtes-vous partie ?

FILLE

Comment savez-vous que je suis partie ?

HOMME

Je sais pas mal de choses. Je sais que vous habitez Brest, que vous vous appelez Barbara, et que vous êtes partie parce qu'il pleuvait...

FILLE *(effrayée)*

Vous êtes le diable !...

HOMME

Hum... Non, mais j'ai besoin d'une bonne. Si le travail vous intéresse. Je vends des livres. Avec des gravures *(il lui touche la cuisse)*, de jolies gravures *(il la pelote)*.

FILLE

Laissez-moi ! Vous me faites horreur !...

HOMME

Je sais. Mais vous viendrez quand même.

FILLE

Pourquoi ?

HOMME *(se lève)*

Je vous attends demain. Vous demanderez l'adresse. Monsieur Mouche. Patron ! Je vous dois ?

BISTRO

Qu'est-ce que vous payez ?

HOMME

Un vermouth-cassis.

BISTRO

Et qui c'est qui va payer l'œuf dur ?

FILLE

...

HOMME

Mademoiselle.

FILLE *(affolée)*

Mais je n'ai pas d'argent !...

HOMME

Rappelez-vous : Monsieur Mouche. *(Il va vers elle, la touche.)* Vous viendrez demain ?

FILLE

Je vous hais... *(Entre le DESTIN.)*

DESTIN

Et voilà. Les jeux sont faits. Il la tient dans ses mains. Mais l'autre va venir. *(Au bistro)* Un blanc. *(Il joue l'orgue de Barbarie.)*

HOMME

Je vous ferai des œufs durs... (*Il lui arrache son corsage et bave.*)

FILLE

Ma robe !

(Entre Gabin.)

GABIN

Lâche ça !

HOMME

C'est à moi que vous parlez ?

GABIN

T'as entendu ? *(Il avance d'un pas, la main dans la poche.)*

HOMME *(au bistro)*

Patron, vous témoignerez que cet individu me menace !

DESTIN

Il y a dans l'air la fin de quelque chose, la fin des haricots, la fin des temps, la fin des fins qui finissent finalement, enfin, la fin...

GABIN

T'as trois secondes ! Tu veux la lâcher, oui, tu veux la lâcher ! *(Il tire.)* T'es bien avancé maintenant ?

HOMME

Et toi ?

GABIN

Mais tu vas la fermer ta gueule. *(Il tire de nouveau. Il lâche le revolver. L'homme tombe en gargouillant.)*

DESTIN

Morte la feuille, mort le vieux nain.

ELLE

Tu l'as tué...

GABIN

Je l'ai tué...

ELLE

Viens...

DESTIN

Et ils s'en vont clopin clopant, et la police le prendra, et dans une minute, comme je disais, le noir va faire place au blanc, les portes de la nuit vont s'ouvrir sur la nuit, et le patron du bistro va gueuler dans la nuit...

PATRON *(fasciné par le cadavre)*

Mon œuf dur ! Et qui c'est qui va me payer mon œuf dur ! Oh ! les dégueulasses...

(Orgue de Barbarie.)

RIDEAU

AIR FARCE

Bar de l'Escadrille.

Pancartes : No Colored people admitted
For Caucasiona only

(énormes) : Drink coca cola
Watch your step, budly
Uncle Joe's got long ears.

1ier PILOTE

Hello !

VIEILLE WAC *(barman)*

Hello, Jimmy !

1ier PILOTE

Quel temps !

VIEILLE WAC

Huit semaines que ça dure... et nos B 69 sont cloués au sol.

1ier PILOTE

Whisky !

VIEILLE WAC

Ça va bien finir par se lever.

1er PILOTE

(Visiblement schizophrène, va s'asseoir dans un coin et a l'air sombre. Entre un second pilote.)

VIEILLE WAC

Hello Johnny !

JOHNNY

Hello !

VIEILLE WAC

Qu'est-ce que ça sera ?

JOHNNY

Comme d'habitude. Coca. *(L'air encore plus schizophrène que le premier, il va s'asseoir dans un autre coin. Entre un 3e pilote en RAF, accent anglais.)*

3e PILOTE

Good morning !

VIEILLE WAC

Hello, Lord Juin.

LORD JUIN

Un scotch, please.

VIEILLE WAC

Désolé, je n'ai que du bourbon.

LORD JUIN *(hausse les épaules.)*

Alors, un bourbon.

VIEILLE WAC

Ça n'a pas l'air de se lever.

LORD JUIN

Non... Il fait un temps dégueulasse. *(Il va s'asseoir dans un fauteuil, l'air mélancolique. On entend des bruits lointains d'avions. Entre un 4ᵉ pilote.)*

4ᵉ PILOTE

Hello !

VIEILLE WAC

Hi, Mac !

MAC

Coca cola. *(Il boit et rote bruyamment.)*

JIMMY *(explose)*

Non. Ça ne peut pas durer, j'en ai marre. On va tous crever. J'en ai marre, j'en ai marre. (*Personne ne bouge, il s'avance près du bar.*) Et pourquoi est-ce qu'on se bat d'abord ? Pourquoi, hein ? Pourquoi ? (*Mac lui lance un direct terrible, il s'effondre.*)

(Silence, Jimmy se relève et se tient la mâchoire à deux mains.)

MAC

Je regrette, vieux... *(Il frotte son poing et rote.)*

JIMMY

Merci, Mac. (*Il se frotte lentement la mâchoire.)* Un whisky.

(La radio qui jouait « Long ago and far away » se met à crachoter, puis les nouvelles : « L'ennemi vient d'attaquer en force le village de Kingston, en Virginie. Nos escadrilles de chasse ont aussitôt pris l'air et se sont retirées après avoir infligé aux Mig des pertes sévères. Le village de Kingston avait heureusement été évacué quelques minutes auparavant par ordre supérieur. Cependant, on

déplore la mort de Bessie, une chienne albinos de treize ans appartenant au pasteur Jonathan Cutter qui, au dernier moment ne put se résoudre à abandonner l'animal infirme... » ; la Wac coupe la radio.)

Pas la peine de l'arrêter, Anne, j'ai entendu. *(Il se met à sangloter.)*

LORD JUIN

Jimmy... C'est extrêmement désagréable.

JIMMY

Bessie... ma vieille Bessie, ils l'ont tuée. Les bâtards, les sauvages.

MAC

Allez, Jimmy, bois un coup. Et rappelle-toi Pearl Harbour.

JOHNNY

(Se lève et pose son verre sur le comptoir. Silence soudain.)

Tu demandais pourquoi on se battait tout à l'heure Jimmy. Est-ce que tu le sais maintenant ? Est-ce que tu as compris ? *(Jimmy sanglote sur l'épaule de Mac.)* Est-ce que tu as compris qu'aussi longtemps que les rouges existeront à l'Est de l'Europe, la vie ne sera plus possible pour le monde civilisé ? C'est pour ça qu'on se bat Jimmy... C'est contre l'injustice qui fait que d'une seconde à l'autre et sans remords, les barbares ont pu exterminer une bête innocente. C'est pour que d'un bout à l'autre de la terre puisse régner la justice, l'égalité et la démocratie...

(La radio reprend : « La couche de nuages qui interdisait toute visibilité sur l'aérodrome vient de se lever. Tous les pilotes à leur poste de combat... »)

JIMMY

Merci les gars... *(Il vide son verre.)* Allons... *(Johnny lui donne une claque dans le dos... Ils sortent. La radio enchaîne sur « The star spangled banner ».)*

LORD JUIN *(donne son bourbon à Anne)*

Vraiment, le whisky américain, c'est infect... A ce soir... *(Il sort et on voit sa manche vide.)*

RIDEAU

HISTORIQUE

[CLEOPATRE ET ANDROCLES]

Un bar de Rome. Au milieu de la pièce, deux ridicules petites colonnes en rien du tout qui ne tient pas. Barman esclave la tête couverte de cheveux drus, aveugle. C'est Samson.

Rugissements de lion. Cris divers.

Entre un affranchi, Androclès, tenue classique, toge, couronne de lauriers.

ANDROCLES

Salut à toi.

BARMAN

Salut à toi Androclès.

ANDROCLES

Quel temps, par Zeus. *(Il s'essuie le front.)*

BARMAN

Oui, et voilà huit coudées sacrées que ça dure.

ANDROCLES

Souviens-toi des Ides de Mars.

BARMAN

De fait, ça n'avait aucun rapport. Il tombait une de ces flottes.

ANDROCLES

A noyer Neptune. *(Ils rient bruyamment.)* Donne-moi à boire.

BARMAN

La même chose que d'habitude ?

ANDROCLES

Naturellement.

BARMAN

Un hydromel. Un... *(Il sert à la pression.)*

ANDROCLES

Mmm... C'est comme si Apollon vous descendait dans le gosier en culotte de satin jaune.

BARMAN

Ta lyre fonctionne, ce matin, Androclès...

(Entrent Cléopâtre et Dalida.)

ANDROCLES

Hé, dis donc. En voilà deux à qui je ferais bien le coup de l'enlèvement d'Europe.

CLÉOPATRE

Quel est ce patricien ?

DALIDA

Peu importe, il a une tête de veau. Barman, un lait d'ânesse.

BARMAN *(comme frappé de la foudre)*

Cette voix. (*Il se retourne lentement.*)

DALIDA

Samson !

SAMSON

Dalida !

ANDROCLES

Ah, ben ça, c'est une rencontre. *(Pendant que le barman et Dalida commencent à converser à voix basse, il se rapproche de Cléopâtre.)* Il me semble que nous nous sommes déjà vus, Mademoiselle...

CLÉOPATRE

Cela m'étonnerait... Je ne fréquente pas le cirque...

ANDROCLES

Vous perdez une chance d'y voir César, Madame.

CLÉOPATRE

Je vois César quand il me plaît.

ANDROCLES

Bigre ! *(A part.)* C'est une impératrice, ma parole. Ça va me coûter au moins cent drachmes. Me permettriez-vous, belle créature, de vous abreuver ? *(Cris à la porte, un esclave affolé, mugissements.)*

ESCLAVE

Maître, maître.

ANDROCLES

On ne peut pas avoir cinq sesterces de tranquillité, non ?

ESCLAVE

Maître, votre lion vient de dévorer une femme...

ANDROCLES

De quel âge ?

ESCLAVE

La cinquantaine, Maître.

ANDROCLES

Tu me rassures. Va lui dire que ça ne sera rien...

ESCLAVE

Maître... C'est que...

ANDROCLES

Allons, accouche, par Zeus.

ESCLAVE

C'est Agrippine, Maître. *(Il se retourne vers le public et d'un ton posé précise :)* Historique.

ANDROCLES

J'en connais un qui va être ravi.

CLÉOPATRE

Moi aussi.

ANDROCLES

Alors, par Zeus, ça s'arrose. *(Elle sourit et accepte.)* Barman, deux hydromels.

BARMAN

Oh la barbe !

ANDROCLES

Comment, la barbe ?

BARMAN

Oui, la barbe. Je cause à Madame.

ANDROCLES

Je les servirai donc moi-même. *(Samson le sert, en grognant.)*

BARMAN

Tenez... et fichez-nous la paix, on parle, enfin...

ANDROCLES

A votre santé. *(Ils croisent le bras à la russe.)* SKOL !

CLÉOPATRE

SKOL !

ANDROCLES

Ah, troublante Cléopâtre, si ton nez était plus long... *(A part, vers le public :)* Historique.

CLÉOPATRE

M'en aimerais-tu moins ? *(Il l'enlace et lui donne un long baiser. Arrive Antoine, harnaché en guerre.)*

ANTOINE

Ah, Ah, Ah, Ah ! *(A part :)* Historique.

CLÉOPATRE

Antoine ! Nous sommes perdus.

ANDROCLES

Barman, un aspic pour madame.

ANTOINE

Et tu railles, misérable avorton, fourmi insolente, vermisseau que je vais écraser d'un coup. Barman !

BARMAN *(excédé)*

Ah, nom de Dieu, vous commencez à me fatiguer, tous.

ANTOINE

Comment, l'esclave se rebelle.

SAMSON *(pique une crise)*

J'en ai assez. Jéhovah. A mon aide. *(Il se précipite, secoue vigoureusement les colonnes. Tombe, pour le bruit, une pile de boîtes de conserves et s'élève une poussière atroce. Tous s'effondrent sous le poids du bar qui se renverse sur eux.)*

RIDEAU

[SANS TITRE]

Un bouge. Barman souteneur. Personne dans le bar. Entre la fille, Blanche.

BLANCHE

Quel temps !

BARMAN

De quoi, quel temps ! C'est pas à cause du temps que tu fais pas un fifrelin, quand même !

BLANCHE

Ils mordent pas quand le temps est couvert.

BARMAN *(rire gras)*

Ça devrait pourtant les inspirer...

BLANCHE

File-moi à boire, un cognac !...

BARMAN

T'auras d'la flotte, comme tout le monde. Sans blague ! On n'est pas foutu de lever un client et je collerais du cognac à Madame ? Feignasse !

BLANCHE

M'engueule pas, mon chéri... Je vais essayer. *(Elle boit, va pour sortir.)*

BARMAN

Acré !... un pigeon ! *(Entre un homme sanguin et brutal.)* Reste là... *(Au type)* Bonjour Monsieur...

HOMME

Quel temps !

BARMAN

Oui, et ça fait huit semaines que ça dure...

HOMME

Jamais vu un mois d'avril pareil... *(Barman fait des signes à Blanche. Elle baisse sa jupe.)* Et ça se couvre !

BLANCHE *(sort une cigarette)*

Vous avez du feu, s'il vous plaît ?

HOMME

Mais naturellement, Mademoiselle.

BARMAN

Et qu'est-ce que ça sera pour ces Messieurs-Dames ?

HOMME

Un marc.

BARMAN

Et Madame ?

BLANCHE

Je ne prends rien, je suis fauchée.

HOMME

Oh ! Mais permettez-moi...

BLANCHE

Alors un marc aussi.

BARMAN *(menaçant)*

Un quoi ?

BLANCHE *(domptée)*

Un spécial.

HOMME

Qu'est-ce que c'est le spécial ?

BARMAN

C'est notre spécialité, Monsieur !

HOMME

Et quel goût ça a ?

BLANCHE

Oh ! C'est spécial...

HOMME

Alors un spécial...

BARMAN

Deux spéciaux, deux.

(Entrent deux curés.)

CURÉ

Deux vins de messe !

HOMME *(à Blanche)*

Vous venez souvent ? Je ne vous ai jamais vue ici.

BLANCHE

Oui, je passe tous les jours... Moi non plus, je ne vous ai pas vu ici, c'est drôle...

HOMME

Ce n'est pas étonnant, moi je ne viens jamais... *(Il s'approche.)* Je vous aurais remarquée. *(Il regarde ses seins.)* Avec de beaux yeux comme ça. *(Elle bombe le chandail.)*

BLANCHE

Je vous plais ?

HOMME

J'aimerais mieux vous voir tomber dans mon lit que le tonnerre. *(Rire gras.)*

BLANCHE

On se ferait moins de mal. *(Rire complice.)*

HOMME

Vous habitez par là ?

BLANCHE

Ben... Pas loin...

HOMME

En face ?

BLANCHE

Non... En dessous... *(Elle fait un geste.)*

HOMME

J'aimerais bien voir votre chambre...

BLANCHE

Oh... Elle est pas grande... On ne peut pas y tenir debout... Faut se mettre sur le lit...

(Les curés prêtent l'oreille et se regardent avec indignation.)

HOMME

J'ai bien envie d'aller y faire un tour. *(Il la pelote.)*

BLANCHE

Eh ben, on peut arranger ça... *(Le curé s'avance.)*

CURÉ

Arrêtez ! Malheureux !

HOMME

Ben quoi, qu'est-ce qu'il veut celui-là ?

BARMAN

Allons, le cureton, ça va pas ?

CURÉ

Arrêtez ! Allez-vous précipiter cette créature irresponsable sur le chemin de la damnation ?

BARMAN

De quoi je me mêle ?

CURÉ

Songez qu'elle a une âme, tout comme vous et moi !

HOMME

Occupe-toi de ton nombril...

BARMAN

Mon curé, je vous préviens qu'on va vous vider ! Buvez votre vin de messe et laissez travailler Madame !

CURÉ

Hommes de peu de foi ! Aurez-vous l'inhumanité, vous, de souiller cette femme et vous de vivre du produit méprisable de son péché ? N'est-elle pas une femme comme votre sœur ?

HOMME

Je n'ai pas de sœur !

CURÉ

Comme votre mère ! Comme votre tante !

BARMAN

J'suis un enfant trouvé.

CURÉ

Non, je refuse de voir se consommer devant mes yeux cet irréparable péché. *(Blanche fond en larmes.)* Viens, ma sœur, viens mon enfant... abandonne ce métier monstrueux...

BLANCHE

Vous êtes gentil m'sieur le curé...

CURÉ

Vous rendez-vous compte de votre ignominie ? *(A l'homme et au barman.)* Vous repentez-vous ?

HOMME *(abject)*

Oh, ben faut nous excuser... On est pas des ordures.

BARMAN

(Le 1er curé lui fout un coup de bouteille. Aussitôt il a une vision et tombe à genoux.)

Ah ! Fatima ! Je vois ! Jeanne d'Arc... *(Il tombe en prières...)*

2e CURÉ

La grâce l'a touché. *(Il repose la bouteille.)* Avouez-moi vos péchés, mon fils.

BLANCHE

M'sieur le Curé... Je voudrais me confesser à vous...

CURÉ

Montons dans votre chambre, ma fille... Là, je vous entendrai.

L'HOMME

Ça alors... *(Elle sort avec le curé.)*

RIDEAU

EXOTIQUE

Un bar dans la brousse. Barman : un petit juif chinois. Au bar, le prospecteur américain dénué de scrupules miné par les fièvres.

Un habitué, ancien fonctionnaire de l'Empire britannique, rongé par la boisson et qui voit des éléphants roses, est accoudé au bar.

HABITUÉ

Whisky ! *(Le barman le sert.)*

(Entre le prospecteur.)

PROSPECTEUR

Quel temps ! *(Il s'éponge le front.)*

BARMAN

Vli, et ça fait vuit ans qui ça dire.

(Le prospecteur retire son casque colonial et la sueur ruisselle sur le sol.)

PROSPECTEUR

Quatre-vingts degrés à l'ombre.

BARMAN

Qui à ci qui ji vous sel, missi ?

PROSPECTEUR

Un Viandox chaud. Y a rien de tel. Boire froid sous les tropiques c'est la crève.

HABITUÉ

Quelle heure est-il ?

PROSPECTEUR

Il est minuit, Docteur Schweitzer ! *(Il se met à rire.)*

BARMAN *(le rire du prospecteur s'interrompt)*

Voilà votte Viandox, missi. *(Le prospecteur boit d'un trait et semble visiblement éméché.)*

PROSPECTEUR

Ah ! Ça fait du bien d'avoir quelque chose de chaud dans les tripes ! *(Entre Dorothy Lamour — Musique hawaïenne.)*

PROSPECTEUR *(il regarde Dorothy)*

Mâtin... Une Blanche ma parole ! Dans ce coin perdu ! *(Elle s'approche du comptoir.)*

DOROTHY

Bonjour, Wong !

BARMAN

Bonjour, mizelle Jeanne.

DOROTHY

Bonjour, Gouverneur !

HABITUÉ

... ning. *(Il lui baise la main dans un style impeccable et lui tourne le dos.)*

PROSPECTEUR

Salut, la belle !

DOROTHY

(Le toise et lui tourne le dos. Il est seul entre l'habitué et la fille qui lui tournent le dos tous les deux.)

PROSPECTEUR

Nom de Dieu ! Je ne suis pas habitué à ce qu'on me traite comme ça ! Barman ! *(Poings sur le comptoir.)*

BARMAN

Vli missi !

PROSPECTEUR

Une tournée de Viandox pour tout le monde sacredieu ! Il ne sera pas dit qu'on refuse de boire avec Morton !

DOROTHY *(se retourne avec stupéfaction)*

Morton !

PROSPECTEUR

Une tournée !...

DOROTHY

Morton !...

PROSPECTEUR *(l'enlace)*

Tu me plais, toi...

DOROTHY *(le gifle)*

Oh brute ! *(Il la contraint.)* Brute — C'est lui ! C'est lui qui a violé ma mère et qui a laissé un papier pour accuser Tarzan !... *(Oh !)* — *(Il l'embrasse, elle hurle.)*

DOROTHY

Tarzan ! A l'aide !...

(Cri de l'homme singe et il bondit sur la scène en se tapant la poitrine — Morton recule.)

MORTON

Tarzan !

TARZAN

Lâchez fille blanche !... *(Il obéit.) (Tarzan la prend dans ses bras.)* Dents blanches — Haleine fraîche !

LA FILLE

Superdent...

HABITUÉ

Whisky...

RIDEAU

FILM D'HORREUR

(Bar sinistre, genre café de village. Orage violent. Eclairs. La porte s'ouvre, bruit de vent et de tempête. Deux individus trempés entrent. Un homme et une femme.)

HOMME

Ouf ! Quel temps !

FEMME

Oui, Bon Dieu, et ça fait huit semaines que ça dure. *(On entend un bruit bizarre.)* Qu'est-ce que c'est que ça ?

HOMME

Je ne sais pas ! *(Elle prête l'oreille, on entend un affreux ricanement)* Oh ce n'est rien... ça doit être le vent.

FEMME

Ça fait un drôle de bruit pour le vent. *(On voit surgir derrière le bar une main velue qui commence à glisser vers eux. Ils ne voient rien. Au moment où ils se retournent, la main disparaît.)*

HOMME

Il n'y a pas de barman ici ? *(Il appelle.)* Y a quelqu'un ?

(La main recommence et la porte du fond commence à s'ouvrir lentement. L'homme recule peu à peu, couvrant la femme de son corps. La porte se referme en claquant.)

HOMME

Reste ici, Judy. Je vais voir.

FEMME

Oh Dick, ne me laisse pas seule. *(Il l'enlace et la main lui caresse les fesses. Elle semble ravie.)*

HOMME

Il faut tout de même que je trouve ce sacré barman ! Je crève de soif.

(Il y va d'un pas décidé. Sitôt qu'il a disparu, hurlement caverneux et par la même porte arrive le barman, tandis que du bar jaillit le propriétaire de la main, Frankenstein. La femme recule devant l'affreux barman vampire pour se heurter à Frankenstein et s'accroche à lui sans le regarder, terrorisée.)

BARMAN

Qu'est-ce que ce sera, madame ?

FEMME

Ne m'approchez pas ! Restez où vous êtes ! *(Il passe derrière le comptoir en haussant les épaules. Elle s'aperçoit dans les bras de qui elle est et hurle.)*

FEMME

Dick !

(Le monstre la lâche, l'air abruti, et cogne sur le comptoir.)

BARMAN

Et qu'est-ce que je vous sers aujourd'hui, monsieur Moche ?

LE MONSTRE

Grou...

BARMAN

La même chose que d'habitude alors... Un vitriol vert, un...

FEMME

Donnez-moi un cognac...

BARMAN *(il lui sert)*

Voilà. *(Il offre une bouteille.)* Avec un peu de sang ?

FEMME

Quoi ?

BARMAN *(sourit)*

Un peu de sang ? C'est bon...

FEMME

Quelle horreur...

LE MONSTRE

Grou... Grou...

BARMAN

Allons cochon, veux-tu te taire ! *(A la femme :)* Excusez-le madame.

FEMME

Qu'est-ce qu'il a dit ?

BARMAN

Qu'il vous... Euh non, je ne peux pas vous traduire ça...

LE MONSTRE

Grou... Grou... *(Agite vers elle ses grandes pattes.)*

FEMME

Dick, au secours Dick...

(La porte s'ouvre brusquement et Dick fait irruption le visage défait.)

DICK

Judy !

FEMME

Dick, au secours !... *(Dick se lance vers le monstre et lui administre un coup terrible.)*

LE MONSTRE

Grou... Grou...

BARMAN *(au monstre)*

Ah ! devant ces messieurs dames ! *(Le monstre recule en grognant.)*

DICK

Donnez-moi un triple cognac...

BARMAN

Avec un peu de sang ?

DICK *(distrait)*

Oui... quoi... une bière avec des poignées d'argent... Qu'est-ce que je dis... *(Le barman lui verse et lui fait tomber une pilule (un énorme Alka-Seltzer) dans son verre.)*

FEMME

Je veux m'en aller Dick, partons d'ici... J'ai peur...

DICK

Mais la voiture est cassée... Le pont arrière et trois bougies qui ne donnent plus...

FEMME

Partons à pied... N'importe comment... Je suis inquiète ici... Ah ! *(Grand cri.)*

DICK

Quoi ?

FEMME

On m'a pincé les fesses ! *(Le barman administre une claque à l'homme invisible.)*

BARMAN

Veux-tu te tenir tranquille ! Si tu continues je te remets le pansement. *(Aux deux :)* Ce n'est rien... il est invisible. Il est très joueur. *(A Dick :)* Vous ne buvez pas ?

DICK *(vide d'un trait)*

Si... *(Porte la main à sa gorge.)* Assah... Je suis empoisonné... *(il se modifie à vue d'œil)* mais non ! mon sang coule librement dans mes veines... Quels sont ces désirs étranges ?...
(Au barman :) Une chèvre... Y a-t-il une chèvre ici ?

BARMAN

Non monsieur.

FEMME

Mais qu'a-t-il ?

BARMAN *(ricane)*

Je tiens cette recette du docteur Jekyll... votre mari est en train de devenir Monsieur Hyde... Tous ses mauvais instincts libérés.

DICK

Judy... enlève ta robe...

FEMME

Dick...Di...

DICK

Plus vite, garce, sur le comptoir...

FEMME

Au secours !...

LE MONSTRE

Grou... Grou...

FEMME

Protégez-moi... *(Elle se jette vers le monstre.)* Dick !

DICK

Ote ta petite culotte... Judy ôte ta petite culotte noire, ta petite culotte... *(Elle s'évanouit.)*

LE MONSTRE *(se rue sur Dick et le casse en deux, puis va le jeter par la fenêtre. Il revient à Judy évanouie, la prend et disparaît par la porte)*

(Au fond, le barman ricane ; coups à la porte de dehors.)

BARMAN

Entrez !
(Entre le facteur.)

FACTEUR

Salut !

BARMAN

Salut !

FACTEUR

Quel temps !

BARMAN

Oui... et ça fait huit semaines que ça dure... Tu me passes un coup.

FACTEUR

Bois... mais grouille-toi. *(Il s'allonge sur le comptoir. Le barman lui fend la carotide, puis va au fond, appelle son frère.)*

BARMAN

Eh Pierrot ! *(Apparaît un atrocissime monstre.)* Pierrot, viens, on va se payer une pinte de bon sang !...

RIDEAU

DERNIERE HEURE

1955

On a dit souvent, et c'est justice, que Boris Vian fut un des introducteurs de la science-fiction en France et, avec Raymond Queneau et Jacques Audiberti, l'un des écrivains qui lui conférèrent ses lettres de noblesse, et même ses lettres tout court. Le premier, Boris Vian tenta de transposer la science-fiction au cabaret. Quand en octobre 1951, il publie dans les Temps modernes, *avec Stephen Spriel (Michel Pilotin) :* Un nouveau genre littéraire : la science-fiction *(regardé par les spécialistes comme le « manifeste » de la SF en France), il a déjà écrit pour la Rose Rouge* Ça vient, ça vient *qu'on a lu plus haut : on y entendait* la Java martienne *(qui sera enregistrée plusieurs années après) et on y découvrait ces journaux d'anticipdtion que Boris Vian refaçonnera à travers d'autres projets de revue qui n'aboutirent pas et dont ne demeurent que des ébauches (tel* En avant Mars, *intitulé encore* Mars ou Crève, *de juin 1952) ou qui, réalisés, furent mollement applaudis (comme* Ça c'est un monde *joué à l'Amiral en novembre 1955). Nous n'avons pas retrouvé trace autre que manuscrite des journaux venus de planètes fort éloignées de la nôtre qui servent de « génériques » aux sketches de* Ça vient, ça vient: *ils ont donc été reconstitués à leur place, dans le texte de la revue, sous une forme typographique ordinaire. C'est dans le dossier de* Ça c'est un monde, *récemment extrait d'un tas de vieux papiers rejetés de l'Amiral, qu'étaient conservés les journaux d'anticipation présentés dans* Dernière heure ; *à cela rien de mystérieux : ils ornaient les vitrines de l'Amiral pendant la quinzaine de jours où le public, clairsemé et peu réceptif (sauf à l'apparition de quelques jolies dames nues) vint s'instruire de son histoire, depuis les temps les plus reculés à* Ça c'est un monde. *Au contraire des journaux de* Ça vient, ça vient, *ceux de* Dernière heure, *mise à part* Lune Matin *(après tout, un petit canard de banlieue) appartiennent à notre Terre ici-bas (et, parfois, combien bas !) : on n'a pas de mal à reconnaître dans* le Parisien délibéré *le successeur direct d'un journal d'hier et d'aujourd'hui qui fait honneur à l'intelligence et au bon goût ;* Franche démence *du 24 mai 1983 nous offre des informations qui, soit dit en toute équité, dépassent par leur intérêt universel et leur exactitude celles de* France Dimanche *des dernières semaines :* France Roche sage femme à la Guyane ; Encore les robots assassins ; « Les champignons lunaires sont dégueulasses », affirme le professeur Bompard. L'illustre savant a maigri de 72 kilos à la suite de l'ingestion de ces répugnants palmipodes. *Quant au* Figarrot *du 7 février 1963, il tient la balance égale entre les informations politiques et culturelles vraiment sérieuses :* Après la réforme de la Constitution. Chaque député sera ministre deux mois et touchera trois ans d'indemnités. Enthousiasme au Palais Bourbon ; Réphorme de l'ortographe ageournée sine die, *et les faits divers propres à inspirer une saine terreur dans les beaux quartiers* : Mets ta liquette hurlait le rétameur. Un car de police emmène l'irascible Italien au dépôt. *Austère, précis, bien renseigné à la manière de son ancêtre, le* Monde renversé *du 3 novembre 1992 nous apprend que* La bombe X aura un rayon d'action de 3 mètres 25 *(la bombe A de* la Java des bombes atomiques *sera un peu plus puissante, elle portera jusqu'à 3 mètres 50) et qu'*Yves Robert sera reçu à l'Académie française par Françoise Sagan ; *son billet « Au jour le jour » a pour titre :* La vraie trahison : La Banque de

France dépose son bilan à la Caisse d'Epargne ; *enfin, c'est dans ce numéro du* Monde renversé *qu'on rencontre l'article :* Les mémoires du colonel Hunt révèlent un aspect inattendu de la conquête de l'Everest. Quarante ans plus tard : La vérité sur toute l'aventure ! *sur quoi s'ouvre le sketch de l'Everest. Aucun des journaux, ni ceux à l'instant cités ni les autres (*Combat douteux, l'Horrore, Il scie Paris, *etc.) qui apparaissent projetés sur l'écran avant chaque sketch de* Dernière heure, *ne peut être reproduit dans ces pages : ils étaient imprimés sur les modèles qu'ils imitaient et leur réduction au format du présent livre les rendraient à peu près illisibles. La revue* Obliques *dans son numéro 8-9 :* Boris Vian de A à Z *les a restitués en fac similé et dans des dimensions convenables ; sont publiées aussi dans ce numéro d'*Obliques *les jusqu'à présent seuls vestiges de* Ça c'est un monde, *à savoir les enchaînements écrits par Boris Vian pour passer d'un sketch à l'autre en chronobus, du Paradis terrestre à Cléopâtre, d'Henri III à la Foire du Trône en 1900, sans omettre Napoléon et la tatouille de Waterloo ni la poule au pot et la psychanalyse des robots.*

Bien à tort, nous nous laissions aller à traiter par-dessus la jambe Ça c'est un monde *en raison de son relatif insuccès. Cette revue nue de science-fiction, la première du genre croyons-nous, tint tout de même l'affiche de l'Amiral du 5 au 23 novembre 1955, alors que* Dernière heure, *qui l'avait précédée et ne concédait rien au cochon qui sommeille, ne resta à la Rose Rouge — réputée mieux achalandée — que du 18 au 26 mars 1955. Il faut croire que la science-fiction n'était pas alors bien implantée dans l'esprit du public ; la parodie suppose, en quelque genre que ce soit, un « fonds culturel » à défaut duquel elle tombe à plat ; les spectateurs de 1955 ne se trouvaient pas en état de jouer avec la science-fiction, mal connue, mal assimilée. Les historiens de la science-fiction confirment du reste la situation de cette littérature ces années-là : plusieurs maisons d'édition importantes avaient créé des collections de science-fiction et visaient au succès populaire ; or aucun roman de science-fiction ne devait attein-*

dre les forts tirages attendus, et maintes collections disparurent ou tombèrent en léthargie jusqu'au regain d'intérêt des années 60 et à la grande vague des années 70. On peut certainement créditer la fesse de la légère prolongation du spectacle de l'Amiral. A la Rose Rouge, qui n'était plus dirigée par Nico, Dernière heure, *à notre sens infiniment mieux élaborée que* Ça c'est un monde, *franchira avec peine le cap de la générale et disparaîtra en quelques jours (dont un jour de relâche) dans le silence sibérien d'une salle aux trois quarts vide. Boris Vian avait pourtant porté à ce spectacle un soin extrême : l'audace et la vigueur des dialogues, un savant découpage, un montage rapide et serré, l'originalité des thèmes, le jeu subtil des éclairages et des effets sonores et visuels, rien n'aura pu vaincre l'indifférence du public.*

Dernière heure *était interprétée par Simone Faget, Philippe Grenier, Guy Saint-Jean, Ursula Kubler, Rosine Luguet, Jean-Pierre Maury, Serge Perrault et Edmond Tamiz, dans une mise en scène de Roger Rafal et des décors d'Arturo Tejero, sur une musique de Jimmy Walter et des effets sonores de Pierre Henry.*

Le sketch « Intérieur bourgeois 1870 » aurait dû être mimé sur une musique concrète de Pierre Henry ; ç'eût été, selon une note de Boris Vian, un « dialogue musical ». Des difficultés techniques empêchèrent cette réalisation. Il fut question, un instant, de donner le sketch dans sa version parlée ; en définitive, on le retira du programme. Nous n'avions pas de motif d'en priver notre édition, puisqu'il existe.

Boris Vian qualifiait Dernière heure *d' « anticipation rétrospective ». On observera, en effet, que la scène se passe en 2024 devant des spectateurs de 1955 qui prennent connaissance, dans leurs journaux habituels, d'événements à survenir en (nous suivons l'ordre chronologique des journaux remontés du gouffre) mars 1959, décembre 1963, juin 1964, novembre 1965, décembre 1977, juin 1978, mai 1983 et novembre 1992. Ainsi cette rétrospective anticipe encore quelques bons moments de notre humanité.*

N. A.

COMMENTAIRE.

Il était une fois, en l'année 2024, trois petits spéléologues qui poursuivaient leurs recherches de toute urgence. Le temps pressait : il s'agissait de découvrir des cavernes habitables pour dénouer la terrible crise du logement dénoncée quotidiennement par l'abbé Paul. Un jour donc, munis d'un treuil perfectionné, ils exploraient un gouffre singulier...

Musique piano
Ouverture : Rideau sur fond bleu.

PROLOGUE

Devant un rideau qui représente les abords d'un gouffre effrayant, paysage sinistre. — Rocs — terre —. Deux individus, vêtus de combinaisons antiradioactives, sont affairés autour d'un treuil extrêmement profilé — style : an 2000.

1er INGÉNIEUR *(il parle devant un interphone très stylisé)*
Allô... ici la surface... Profondeur 1 600... Toujours pareil ?

VOIX *(amplifiée dans l'interphone - bruits bizarres)*
Toujours pareil... *(Bruit effrayant de cataracte.)* ... Assez humide.

2e INGÉNIEUR *(au 1er)*

Il reste 400 mètres de câble, tu penses que ça suffira ?

1er INGÉNIEUR *(à l'interphone)*

400 mètres, ça sera assez ?

VOIX

Largement :à l'écho il en reste 100... Pas plus... Allez lentement il y a quelques lézards... *(Glapissements terribles.)* ... Ils mordent.

1er INGÉNIEUR

Aïe !

VOIX

Réglez à 10 tours... tâchez de me rapprocher un peu de la paroi.

1er INGÉNIEUR *(à l'inter.)*

D'acc.

2e INGÉNIEUR

Qu'est-ce qu'il faut faire pour gagner son beefteack... Dire qu'il y a des gars qui sont peinards dans les mines de sel !...

1er INGÉNIEUR

Allez, vis pas dans un rêve, on est en 2024, c'est plus la belle époque...

2e INGÉNIEUR

C'est pas une raison pour pas penser...
(Ils déplacent légèrement le treuil.)
... *(à l'interphone)* ... Ça va ?
... *(Cri aigu - genre chouette.)* T'as accroché ?
(Même cri - encore plus fort.)... Répond s !
(Cri aigu.)

VOIX

Stop !

2e INGÉNIEUR

Il a le hoquet des cavernes !

1^ier INGÉNIEUR *(à l'inter.)*

Tu es malade ?

VOIX

Non, ça va, je vois le fond...
(cri aigu)
...mais j'ai une salamandre dans le dos... c't'enfant d'sa... *(cri affreux suivi d'un râle et d'un bruit dégoûtant d'éclatement mou.)* ... Ça y est, je l'ai eue !

1^ier INGÉNIEUR

Heureusement que l'Ami des Bêtes n'est pas là !

2e INGÉNIEUR

Ceux-là, si on les écoutait, on ne tuerait jamais que des bonshommes !

VOIX

La cote ?

1^ier INGÉNIEUR *(à l'autre)*

1 730...

2e INGÉNIEUR

C'est pas un chiffre, ça...

1^ier INGÉNIEUR

Tu nous fais suer !

VOIX

T'as qu'à descendre, t'auras de la fraîcheur... Encore cinq mètres...

1er INGÉNIEUR *(à l'autre)*
Vas-y molo... encore deux tours...

(Bruit encore plus ignoble.)

VOIX
Ah ! la saloperie !

1er INGÉNIEUR *(à l'inter.)*
Qu'est-ce qu'il y a ?

VOIX
J'ai foutu le pied dans un terrier de gloum-gloum... c'est dégueulasse...

2e INGÉNIEUR *(au 1er)*
Encore des gloum-gloum... Tu vas voir qu'un jour on sera bouffés par ces saletés-là...

VOIX
Plus qu'un mètre... Molo, molo... Stop !

1er INGÉNIEUR *(au 2e)*
Bonne chose de faite... ça fait 1 735, tu notes ?...

(Gargouillis de plus en plus terrifiants qui s'enflent.)
(Le proscénium s'éteint, le rideau disparaît, le treuil et les ingénieurs aussi.)

— Le 2e rideau s'ouvre sur un cadre de roches déchiquetées en premier plan.
— Lumière verte sur un spéléologue suspendu à un câble.
— Le fond est une toile sur tambour horizontal qui se déroule de bas en haut, figurant le paysage de la caverne.
Bêtes et plantes peu appétissantes.
Phosphorescence - peinture lumineuse - désagréabilité générale.

Les bruits sont maintenant transmis avec un effet d'écho, avec la voix du spéléologue.

Le tambour se déroule lentement, bruits insensés. Le spéléologue tourne sur lui-même dans la lumière verte. Il porte un petit projecteur sur son casque. Il atteint le sol.

SPÉLÉOLOGUE

Plus qu'un mètre... molo, molo... Stop !... Remonte un peu... Je veux voir quelque chose.

VOIX SURFACE *(rires)*

... Y a encore des gloum-gloum ?

SPÉLÉOLOGUE

Stop... descend... molo...

... Stop !

VOIX *(de la surface)*

Ça va ?

SPÉLÉOLOGUE

Ouais... fait frais...

(Il se frappe les bras sur le corps. Il sautille.)

(Il cherche au sol, autour de lui. Il ramasse un vieux cadre de vélo).

... Tiens !...

VOIX

Quoi ?

SPÉLÉOLOGUE

Y a des vieux instruments de musique... une harpe je crois.

(Il jette le cadre - ramasse un ressort de sommier.)

... Un solenoïde de décubilorelaxeur... des bricoles... rien que des vieilles cochonneries... *(Il avise un paquet.)* ... Tiens !

VOIX

Quoi ?

SPÉLÉOLOGUE *(il le défait)*

... Là, un drôle de truc... des vieux journaux...

(Et commence à regarder.)

VOIX

Des journaux de quand ?

SPÉLÉOLOGUE *(il regarde)*

J'sais pas... Oh... mince... c'est d'avant le déluge... (*Il lit.*) ... En voilà un de 1960... un autre de 1972... « Franche démence. » Ils avaient de ces titres ! *(Bruits en ponctuation.)*

VOIX

Laisse tomber, on n'est pas là pour lire.

SPÉLÉOLOGUE

Ah, mais c'est marrant... Dis donc, y a des histoires terribles... Ecoute voir ça... Un jeune homme dérangé dans ses ébats amoureux assassine sauvagement deux inoffensifs pompiers... Attends c'est du 20 mars 1973...

VOIX

Dis, ils étaient dingues dans le temps...

SPÉLÉOLOGUE

Tu parles, des mecs qui vivaient en surface, avec les radiations de la guerre de 65, tu peux pas leur en vouloir.

(Noir et projection du titre commentée par la voix.)

Oh ! figure-toi que le gars, il arrivait chez sa poupée avec l'intention bien nette de se la farcir. Je remonte le paquet, on va lire ça là-haut.

RIDEAU

COMMENTAIRE.

Ils se mirent donc à lire ces vieux journaux, préservés par miracle du grand incendie mondial de l'an 2023, et firent, chemin faisant, de bien curieuses constatations. Quelles étaient donc ces révélations sur la conquête de l'Everest annoncées dans le Monde renversé *du 3 novembre 1992 ? Voilà quelque chose que l'on ne trouvait pas dans les livres d'histoire de leur époque !*

Projection du Monde renversé, *avec musique piano* Monte là-d'ssus.

EVEREST

PERSONNAGES : *Le sherpa Tensing, le colonel Hunt, Hillary.*

DÉCOR : *Le camp à partir duquel l'équipe de tête va essayer de gravir l'Everest. Pour l'instant, il n'y a encore rien que de la neige et du roc. Fond de montagnes. Une pancarte :* « EVEREST : Par là... » *Entrent, frais et alertes, Hunt et Hillary, costumés pour les cimes, munis d'un petit stick et d'une théière en bandoulière.*

HUNT

Mon cher Hillary, nous y voilà. C'est l'emplacement idéal.

HILLARY

Colonel, je suis de votre avis, nous ne pouvons pas trouver mieux.

HUNT *(se laisse choir)*

Il était temps d'ailleurs. Je suis épuisé.

HILLARY

Mais que fait Tensing ? Il est toujours en retard, c'est assommant.

HUNT

Toujours la même chose avec ces indigènes, Hillary...

HILLARY

Comment veut-il que nous fassions du thé sans feu ?

HUNT

A mon avis, il ne *veut* pas que nous fassions du thé !

HILLARY *(se laisse choir à son tour)*

Que c'est fatigant d'être obligé de traîner derrière soi des gens pareils... *(Il s'étend confortablement.)* Enfin... Je vais toujours remplir la théière de neige...

(On entend un bruit à la cantonade, et Tensing apparaît, chargé d'une cuisinière à charbon, de trois ou quatre énormes sacs, d'instruments divers accrochés à la ceinture : il tire en outre un traîneau sur lequel dorment les deux autres membres de l'expédition : le docteur et Wilson.)

HUNT

Enfin !

TENSING

Excusez-moi, mon colonel, mais le docteur est tombé dans une crevasse et il a fallu que j'aille le rechercher...

HUNT

Tensing, mon ami, vous vous relâchez.

TENSING

Comment ça, mon colonel ?

HILLARY

Vous devriez vous surveiller... vous montez avec quelque difficulté, je trouve... Votre avis, docteur ?

DOCTEUR *(se lève du traîneau, tandis que Hillary et Wilson installent la cuisinière et commencent à faire du feu)* Voyons... *(Il regarde Tensing, le palpe.)* Hum... vous avez le nez froid...

HILLARY

C'est bon signe, je crois ?

HUNT

Je suis certain que Tensing est en parfaite santé... Ce qu'il y a, c'est une simple question de volonté... Voyons, Tensing... Rappelez-vous que vous êtes un Sherpa... Vous avez des devoirs, que voulez-vous... L'honneur de votre corporation est en jeu...

TENSING

Je m'excuse, mon colonel... Je... Je ferai de mon mieux... Pardonnez-moi.

HUNT

Mais voyons, mon vieux, naturellement... Cela arrive à tout le monde d'avoir une petite défaillance... *(Il regarde autour de lui.)* Hum... il fait beau.

HILLARY

Je trouve aussi...

DOCTEUR

Le moment paraît favorable... Il n'y a pas trop de vent...

HUNT *(enjoué)*

Tensing... Est-ce que vous vous sentez suffisamment reposé ?

TENSING

J'ai un peu mal aux jambes, mon colonel, mais ça peut aller...

HUNT

J'en étais sûr... Tensing, je savais que l'on pouvait compter sur vous...
(A Wilson :) Dites, vieux... vous êtes prêt pour les photos ?

WILSON

Un instant !... *(Il monte prestement une caméra sur trépied.)* Voilà !...

HUNT

Prenez votre piolet, Hillary...

(Ils prennent tous deux leurs piolets et posent, martiaux, devant la caméra.)

Notez la légende : Avant l'assaut final... *(Wilson note.)*

TENSING

Alors, on va donner l'assaut final, mon colonel ?

HUNT

Parfaitement, Tensing !... Ah ! je vois que ça vous fait plaisir...

(Tensing fait la gueule.)

TENSING

Certainement, mon colonel.

HUNT

Vous allez monter Hillary, d'abord, et puis vous redescendrez me chercher...

TENSING

Bien, mon colonel... *(Il se baisse, Hillary lui grimpe sur le dos.)*

HUNT

Wilson, il est inutile de prendre une photo, cette fois... Passez votre caméra à Hillary... Il prendra une vue du sommet.

TENSING

Ça ne va pas être un peu lourd ?

HUNT

Allons, allons... Puisque c'est Hillary qui va la porter...

TENSING *(titube)*

C'est juste, mon colonel...

HUNT

Hillary... Vous prenez le drapeau, naturellement...

HILLARY

Passez-le moi. *(On lui donne le drapeau.)*
(A Tensing :) Je crois qu'il est inutile de vous dire de prendre la théière, Tensing ?

TENSING

C'est que... sans la cuisinière, elle ne sert pas à grand-chose...

HILLARY

Et naturellement, vous allez refuser de prendre la cuisinière... Bon... Cela ne me surprend pas...

HUNT

Allez-y Hillary... C'est l'heure...

HILLARY

J'y vais !...

(Tensing s'ébranle et ils disparaissent.
Les autres les regardent.)

DOCTEUR *(nostalgique)*

J'aurais quand même bien voulu y aller aussi...

HUNT

Enfin, docteur... Vous savez bien que c'est Hillary le moins lourd d'entre nous... Vous ne voudriez tout de même pas que nous nous conduisions comme des brutes, non ?...

Musique God save the King.

RIDEAU

COMMENTAIRE.

Tout comme de nos jours en 2024, les journaux du siècle passé accordaient une place regrettable à des incidents absolument insignifiants. Qui cela pouvait-il intéresser de savoir que selon les experts, Londres avait remplacé Paris comme capitale du vice ? C'est pourtant ce que narrait, avec anecdote idiote à l'appui, un Parisien délibéré *vieux comme Hérode...*

Projection sur les mots Parisien délibéré *et musique piano, pot-pourri anglais enchaîné sur* God save. *Musique stoppe quand paraît la gouvernante.*

CHARING CROSS

(tableau)

Titre :

« A LONDRES »
Un chauffeur de taxi assassine
une dame du meilleur monde
On se perd en conjectures, etc.

Chant et danses.

Un coin de rue.
A droite : deux filles qui attendent le client.
A gauche : un taxi garé, chauffeur au volant. Il fume la pipe.
Entre un homme qui traverse la scène et est accosté par une des filles. Colloque muet.
Entrent, à gauche : Une dame de 60 ans (Reine Victoria) accompagnée de sa petite-fille. Elles se dirigent vivement vers le taxi.

LA DAME

Hep !... Taxi !...

(La fillette regarde intensément le manège des deux filles qui discutent et rient avec l'homme.)

LA FILLETTE

Mamy, que font-elles, ces dames-là ?

LA DAME *(coup d'œil gêné) - (elle tire la gosse à elle)*

(A l'appel de la dame, le chauffeur ouvre la portière.)

...Eh bien, Mary, ce sont des ouvrières qui sortent de l'atelier ; elles attendent leur mari.

LE CHAUFFEUR DE TAXI *(avec un sourire à l'enfant)*

Mais non, mais non, tout ça c'est des bonnes putains. Elles attendent le client.

(La fillette cherche à comprendre : elle regarde tour à tour le chauffeur et sa Mamy. — Sentant que le chauffeur va expliquer, la dame essaie de passer la situation.)

LA DAME

Mary, je vous ai menti. Je pensais que vous aviez intérêt à attendre encore quelque temps avant de connaître ces choses affreuses. Ces dames font un horrible métier, elles vendent leur corps pour de l'argent... Elles ont un mari toutes les heures...

LA FILLETTE

Mais Mamy, si elles ont tellement de maris, elles doivent avoir beaucoup d'enfants... Que deviennent ces enfants ?

LA DAME

Des chauffeurs de taxi, Mary.

RIDEAU

COMMENTAIRE.

Seul, le journal Il scie Paris, *poursuivant vaillamment une estimable carrière, réussissait à maintenir haut et ferme le flambeau de l'esprit français, ainsi que purent s'en rendre compte nos spéléologues éblouis par la finesse de ces dessins littéralement désopilants.*

Projection sur musique Monsavon *et* Jalousie.

LA PAGE DESSINÉE

DANS LE MÉTRO (proscénium)

Dans un cadre réduit : *deux personnages, debout côte à côte, tiennent le pilier central. L'un d'eux fume la pipe et envoie des bouffées de fumée dans le nez de son voisin.*
Au dessus de lui l'écriteau : « Ne pas fumer. »
Au dessus de l'autre personnage, un autre écriteau : « Lavez-vous et sentez bon. »

L'HOMME, *visiblement incommodé par la fumée, toussotte, s'étrangle, foudroie son voisin du regard. Puis, désignant le premier écriteau :* Alors, vous ne savez pas lire !

L'AUTRE *(désignant l'autre écriteau)*

Et vous ?

***

Projection de la page dessinée de Franche-Démence

Cadre large : Dans un intérieur : *trois portes et une armoire.*
Pendant le noir on entend déjà des coups frappés à une porte, et

UNE VOIX D'HOMME *(qui crie)*

Ouvre... Ouvre donc... Ouvre ou j'enfonce la porte !

(Lumière.)

Une jeune femme qui se rajuste, traverse la scène et va ouvrir.

SON MARI *(furieux, entre en trombe)*

Où est-il, tu le caches, hein ?...

(Il ouvre la première porte) ... Personne !
(Il ouvre la deuxième porte) ... Personne !
(Il ouvre la troisième porte) ... Personne !

Il ouvre l'armoire et voit un hercule qui le dépasse de deux têtes, en slip, biscotos et tout... Un temps : Il le regarde longuement, puis, refermant la porte :

LE MARI

... Personne... Excuse-moi, chérie... Oh ! la jalousie, c'est bête !...

(Il sort.)

⁂

Un chef romain entre, à droite, l'air las : *Il secoue la poussière de son vêtement une seconde ; il s'arrête sur le seuil.*

Son visage reflète la joie de rentrer chez soi.

Il traverse la scène et se dirige vers un rideau tendu entre deux colonnes. Il soulève le rideau et voit :

ROMAIN *(rugissement)*

A-A-A-A-A-A-Ah !...

(Colère) Vous ne m'attendiez pas, Madame, et je vois [bien
Que mon abord ici trouble votre entretien
Où sommes-nous réduits, O monstres, O ter- [reurs,
Chaque instant fait éclore une nouvelle hor- [reur,
Et produit des forfaits dont l'âme intimidée
Jusqu'à ce jour de honte n'avait pas eu d'idée.

Triste jusqu'aux pleurs
Vous ne répondez rien ? Vos soupirs élancés
Au ciel qui m'accable, en vain sont adressés
Qu'importent vos serments, vos stériles ten- [dresses,
Avec un autre amant vous tenez vos promesses

Après l'atrocité de cet indigne sort
(résigné « fort ») Qui pourrait redouter ou refuser la mort
Le Brave la défie, et marche au-devant d'Elle

(tremblant) Le coupable la craint, le malheureux l'appelle.
Mes prières et mes cris pourraient-ils...
Ah non ! Vous pourriez vous arrêter quand [je cause !

RIDEAU

COMMENTAIRE.

Cet ancien numéro du Figarrot *recélait quelque chose de plus sérieux. André Labarthe évoquait les débuts difficiles de l'activité même de nos trois amis, la spéléologie.*

Projection du Figarrot *sur musique :* J'ai descendu dans mon jardin *puis reprise du commentaire qui permet apport décor.*

Quelles passionnantes lumières cet article jetait sur le sport national des jeunes de 2024 ? Qui aurait pu croire que, soixante-dix ans plus tôt, la magie jouait un tel rôle dans l'exploration des gouffres ? A lire des contes à dormir debout on se sentait revenir au paganisme des premiers âges.

Projection Figarrot *sur musique* J'ai descendu *enchaînée avec* Je suis Chrétien.

PIERRE SAINT BERNARD

PERSONNAGES : *deux scouts, trois spéléologues.*

DÉCOR : *L'orée du gouffre de la Pierre Saint Bernard. Fond montagneux. Le gouffre est dans des rocs surélevés, il sera praticable. Pancarte :* « La Pierre Saint-Bernard, gouffre terrifiant ».

ÉCUREUIL JOVIAL

Dépêche-toi, Castor, il faut que tout soit prêt avant leur arrivée...

CASTOR POILU *(regarde sa montre)*

T'inquiète pas, Ecureuil, j'ai ma badge de décorateur d'église... Ça sera prêt...

ÉCUREUIL JOVIAL

Tu as les ornements du culte ?

CASTOR

Dans la musette grise... N'oublie pas la nappe...

ÉCUREUIL JOVIAL

(Va chercher la nappe, la dispose, et se frotte les mains.) Dis donc... Ça, c'est une B.A. de première !...

CASTOR *(même jeu)*

Ça va leur faire drôlement plaisir !...

ÉCUREUIL

Qui c'est qu'ils ont comme curé ? Peut-être qu'on aurait pu amener le nôtre.

CASTOR

Penses-tu... Ils en ont sûrement un. C'est pas des spéléologues comme eux qui vont oublier leur curé, non !

ÉCUREUIL

Oui... Tu as raison... Ils oublieraient plutôt le treuil...

(Apparaissent les trois spéléologues, dont un est curé. — Il a juste le chapeau de l'emploi. Les autres sont munis de cordes, etc.)

NORBERT

Allons ! Un petit effort ! Nous touchons au but ! *(Il voit les scouts.)* Mais qu'est-ce que c'est que ça ? Encore vous !

ÉCUREUIL JOVIAL
CASTOR POILU

Scouts de France, toujours prêts !

NORBERT

Qu'est-ce que vous fabriquez ici ?

ÉCUREUIL

On a installé un autel pour la messe, chef Norbert... comme d'habitude...

CASTOR

On a pensé que ça ferait plaisir au père...

LE PÈRE DUPONT

Mais écoutez, mes enfants, est-ce que vous croyez que c'est bien le moment de dire une messe ?

ÉCUREUIL

C'est toujours le moment, mon père.

LE PÈRE DUPONT

Evidemment, c'est une question d'opinion.

CASTOR

Dites, chef Norbert, qu'est-ce que vous allez chercher dans le trou ?

NORBERT

Tu es très indiscret, mon enfant. *(A Charles)* Charles, voulez-vous mettre le treuil en place ?

CHARLES *(jovial)*

Mon treuil... Tout le monde descend !

(Il a un gros rire, personne ne rit.) Vous ne trouvez pas ça drôle ?

NORBERT

Pas spécialement... *(Les scouts ramassent leur barda.)* Mais qu'est-ce que vous avez là ? En voilà un matériel !

ÉCUREUIL

C'est un autre autel portatif, chef Norbert... Cette fois, on en a pris deux... Un pour en haut, un pour en bas.

CASTOR

On va le descendre dans le trou pour que le père Dupont le trouve tout prêt en arrivant en bas... Ça sera encore mieux qu'à la Pierre Saint-Martin...

LE PÈRE DUPONT

Mais vous m'assommez, à la fin... Je ne vais pas passer ma vie à dire la messe !

ÉCUREUIL *(navré)*

Oh... mon père... On était sûrs que vous seriez content...

LE PÈRE DUPONT

J'ai autre chose à faire, saperlipopette...

CASTOR *(à Norbert)*

Vous me dites pourquoi que vous descendez dans le trou, chef Norbert.

NORBERT

Ça va bientôt finir ?

CASTOR

Non, chef Norbert...

NORBERT

Bon... Eh bien, je vais te le dire... C'est pour chercher

une bague que ma grand-mère a laissé tomber là pendant l'exode...

ÉCUREUIL

Ben, on va vous la remonter, chef Norbert... Ça nous fera une autre B.A. puisque celle-là ne vous plaît pas.

NORBERT *(hésite)*

Tu ne sauras pas où la chercher...

CASTOR

Oh, dites oui, chef Norbert !

NORBERT *(regarde les autres)*

On les laisse y aller !

CHARLES *(sauvage)*

Je veux bien...

LE PÈRE DUPONT

C'est le seul moyen de se débarrasser de cette engeance...

CHARLES

Accrochez-vous au fil... On va vous descendre tous les deux ensemble...

(Il passe, s'accroche et disparaît suivi d'Ecureuil.)

CASTOR

On y va !

NORBERT

Vous y êtes ?

SCOUTS *(leurs voix)*

Prêts !

NORBERT

Allez, Charles...

CHARLES

Voilà, patron.

NORBERT

Vous m'avez compris...

(Le câble se déroule, et, soudain, se casse. Grand cri lointain.)

CHARLES *(froid)*

Ça y est, patron... Le câble a cassé.

NORBERT *(froid)*

Parfait... On descend... Remettez le bon !... *(Il disparaît vers le gouffre.)*

RIDEAU

INTERIEUR BOURGEOIS 1870

Décor : *Intérieur bourgeois 1870.*

Au lever du rideau, le père, la mère. — Elle est assise et lui, trop habillé, arpente la pièce en discutant.

PÈRE

Bon... Tout ce que tu voudras... Je suis résigné, mais enfin, je ne vois pas ce qu'elle lui trouve.

MÈRE *(calme et apaisante)*

Il est gentil garçon, il est bien élevé ; il a des espérances... Et puis enfin... elle l'aime.

PÈRE

Bah... Bah... Bah... de l'amour, à cet âge-là... Sait-on seulement ce que c'est ?

MÈRE

Ses parents sont des gens comme il faut...

PÈRE

Et nous, nous ne sommes pas des gens comme il faut ?

(Entrée du grand-père gâteux sur son fauteuil à roulettes.)

GRAND-PÈRE

Je prendrais bien un petit biscuit avec un verre de porto. *(Il va au buffet et il se sert.)*

PÈRE

Ecoute, papa... Nous discutons de choses sérieuses, Jeanne et moi.

GRAND-PÈRE *(délibérément sourd)*

Ah... Ça fait du bien. *(Il mâche bruyamment.)*

PÈRE *(hausse les épaules et regarde sa montre)*

Il est en retard, en tout cas...

MÈRE

Ta montre avance, Victor...

PÈRE

Ces cérémonies m'assomment...

GRAND-PÈRE

Mum... Excellent... Tu en veux un ?

PÈRE

Ah... Laisse-nous tranquille !

GRAND-PÈRE

Enfin, qu'est-ce qui se passe aujourd'hui ? La maison est sens dessus dessous...

MÈRE

Jacques vient demander Gisèle en mariage.

GRAND-PÈRE *(sourd)*

Comment ? *(Cornet acoustique.)*

MÈRE

Jacques vient demander Gisèle en mariage.

GRAND-PÈRE

Quoi ? C'est nouveau, ça !

MÈRE

Ça fait un an qu'on en parle...

GRAND-PÈRE

C'est incroyable ! Je suis toujours le dernier prévenu. *(Il appelle)* Gisèle ! Gisèle ! *(Paraît Gisèle, très fiancée.)* Qu'est-ce que c'est que cette histoire ? Tu vas te marier, toi ?

GISÈLE *(se précipite vers lui)*

Oui, grand-papa !

MÈRE *(attire Gisèle)*

Gisèle ! Ta coiffure. *(Elle la rectifie.)*

GRAND-PÈRE

(Grommelle dans le fond.)

PÈRE *(regarde sa montre)*

S'il est aussi exact le jour du mariage... Ça promet !

Bruits de pas qui montent l'escalier (Sonnette).

GISÈLE

J'y vais !

MÈRE

Non, ma fille... Ce ne serait pas convenable ! *(Elle se lève et y va.)* Reste assise sur le pouf ! *(Le grand-père resiffle un porto et râle.)*
(Entre le fiancé par le fond.)

PÈRE *(jovial)*

Bonjour jeune homme !

FIANCÉ *(déférent)*

Bonjour, monsieur... *(Il s'incline devant le grand-père.)*

GRAND-PÈRE

Bah ! *(Il remange.)*

(Fiancé baise-main mère, effleure le front de Gisèle.)

PÈRE

Alors !

FIANCÉ *(tourne son chapeau)*

Monsieur, j'ai l'honneur de vous demander la main de mademoiselle votre fille

GRAND-PÈRE

Qu'est-ce qu'il dit ?

MÈRE

Taisez-vous donc, beau-papa.

PÈRE

Hum !... Jeune homme... J'apprécie l'honneur que vous me faites... Je voudrais avant tout savoir si vous êtes sûr de vos sentiments pour Gisèle...

FIANCÉ

Monsieur, j'aime Gisèle autant que l'on peut aimer !

PÈRE

Et toi Gisèle... ne cèdes-tu pas à un caprice passager ?

GISÈLE

Oh ! papa !... *(Elle baisse les yeux et rougit.)*

PÈRE

Hum... Eh bien... monsieur... J'ai pris mes renseignements sur vous... Je sais que vous êtes travailleur et rangé... Les sentiments de ma fille passent avant tout... Je vous la donne !

FIANCÉ

Oh ! merci ! *(à la mère)* Merci ! de tout cœur ! *(Il s'agenouille près d'elle.)*

MÈRE

Embrassez-moi, mon gendre !

FIANCÉ

C'est le plus beau jour de ma vie.

GRAND-PÈRE

Qu'est-ce qu'il dit ?

PÈRE

Ah, toi ! La barbe !

MÈRE

Embrassez votre fiancée ! *(Baiser chaste — Le grand-père roule jusqu'au fiancé.)*

GRAND-PÈRE

Non mais ? dites donc ! Où vous croyez-vous ?

PÈRE

Papa, pour la dernière fois !...

GISÈLE

Grand-père ! Je t'en prie ! *(Le fiancé est un peu éberlué.)*

GRAND-PÈRE *(lui flanque un coup de cornet)*

Espèce d'insolent !

PÈRE

C'est assez ! *(Il précipite le fauteuil par la porte du fond — Bruit de chute terrible — tous rentrent le cou dans les épaules.)*

PÈRE

Papa devient odieux. *(Le fiancé offre une bague.)*

GISÈLE

Oh ! Quelle merveille ! *(Elle la montre à sa mère.)*

MÈRE

Elle est très belle.

PÈRE

Pas mal — *(Il prend le fiancé sous le bras.)* Alors jeune homme... Vous voilà entré dans la famille ? Nous allons célébrer ça.

(Il sonne — Entre la servante avec le champagne. On débouche la bouteille, et... paraît un photographe, qui s'installe discrètement.)

PÈRE

Immortalisons ce beau jour ! *(Bruits du grand-père dans l'escalier.)*

PHOTOGRAPHE

Ne bougeons plus ! *(Tous s'arrêtent, verres levés.)*

RIDEAU

COMMENTAIRE.

Un des journaux retrouvés au fond du gouffre semblait, pour son compte, souligner ce que la civilisation de l'époque avait de plus humain. Enfin un témoignage de première main sur cette période un peu nébuleuse de la mise au point des premiers robots domestiques. C'était, faut-il le préciser, le toujours jeune Franche-Démence ! ! !

Projection sur musique C'est l'homme.

LES ROBOTS ABUSIFS

(Intérieur bourgeois 1980 — Radio ultramoderne, meubles de style, bidules sans usage définissable.)

Femme : est seule en scène au lever du rideau. Elle prend quelque chose dans une armoire, des bocaux, regarde l'heure, sort divers ingrédients, va mettre la radio en marche.

VOIX DE LA RADIO *(mâle)*

Et voici la recette quotidienne de Radio Curnonsky qui

vous est offerte par les spécialités alimentaires Energol, la cuisine cinq fois plus raffinée.

SPEAKER FEMELLE

Aujourd'hui, Tante Onésime vous propose : le kroumirs en brindezingue au 754 BP.

Ingrédients : une valise... une bougie... deux livres de kroumirs grattés, un tube de 754 BP qualité adulte, une mouvette en buis béni, un verre de madère Dédère, six quarts de beurre, trois raisins secs, 150 grammes de plomb de chasse n° 12 et une terrine moyenne. Veuillez donc tout d'abord préparer ces divers ingrédients. *(Silence.)*

FEMME

Valentin ! Valentin ! Voulez-vous m'apporter une terrine moyenne ?

(Vacarme de casserole — Paraît Valentin armé d'une terrine. C'est un terrible robot tout nickelé.)

FEMME

Ah ! Parfait. Posez-la ici...

(Elle s'affaire.) Voyons... le kroumirs, la valise... le plomb de chasse... Tout est là. Ah... la mouvette... Valentin, soyez un amour... Allez me chercher la mouvette. *(Valentin sort et revient très vite avec la mouvette.)*

RADIO

Parfait. Tout est prêt, nous commençons.

Saisir le kroumirs entre le pouce et l'index de façon à lui bloquer les glandes sudoripares et le truffer irrégulièrement de plomb de chasse qui donne à la cuisson un fumet savoureux de venaison fraîche. L'assommer d'un coup de mouvette et le précipiter dans la valise qui étouffera ses derniers cris. Flamber les trois raisins secs à la bougie et les immerger dans le tube d'Energol 754. Ils y prendront une belle couleur groseille et passeront aisément pour des cerises sans lesquelles il n'est pas de véritables kroumirs *(elle suit les phases une à une)*. Précipiter un quart de beurre dans la terrine et garder les cinq autres en réserve pour les mauvais jours. Au moyen de la mouvette, touiller vigoureusement le beurre et les raisins imbibés d'Energol. Boire le verre de Madère pour se remonter le moral et répandre le beurre malaxé sur la tête des kroumirs qui ne doivent plus faire d'objection si la valise était bien fermée ; frire à petit feu, déglacer à l'eau lourde et porter la valise à la consigne de la gare des Invalides.

FEMME

Mmm... ce que ça va être bon... *(Valentin touille avec furie.)* Ça ne vous tente pas, Valentin ? *(La lampe verte s'allume trois fois.)* Ah... Je savais bien... Repassez-moi la terrine... Vous devez être fatigué... *(lampe rouge.)* Vous ne voulez pas ? Faites attention... vous risquez de vous couler une bielle... *(Elle continue à s'affairer. Le mari rentre, il porte un cadre à la main, le pose, se débarrasse de son chapeau et va accrocher la pin-up au mur.)*

MARI

Qu'est-ce que tu en penses, chérie ?

FEMME

Rien de sensationnel...

MARI

Ah ! écoute... Pour une fois qu'on a un président du Conseil un peu décoratif...

FEMME

Je ne te connaissais pas ce civisme...

MARI *(lorgne)*

Ah... A mon âge... On commence à s'intéresser à la politique.

(Il va se mettre dans un fauteuil près de la radio, le robot regarde la pin-up, la femme, la pin-up — bourdonne un peu, va la décrocher et la déchire.)

MARI

Valentin... Mais enfin... Quelle mouche vous pique ? Je vais vous débrancher. *(Bourdonnement menaçant du robot.)*

FEMME

Ecoute... Tu vas encore le faire chauffer, c'est idiot, enfin... Il vient de tourner les kroumirs une demi-heure.

MARI

Il en prend trop à son aise, à la fin... Toutes les fois c'est la même chose !

FEMME

Laisse-le, enfin... C'est fragile... C'est une machine !

MARI

(Grommelle et met la radio.)

(Un peu de musique, la femme et Valentin disparaissent.)

SPEAKER

Vous allez entendre maintenant la IIe symphonie pour marteau pneumatique en la bémol et mouillastron réflexe de Célestin Davier, Premier Second Grand dernier Prix de Rome.

MARI

Ah... enfin... *(La musique commence, infernale.)*

(L'homme la mime et dodeline du chef.

Valentin, posément réapparaît, va au poste et ferme la radio d'un geste sec.)

MARI *(lève le nez)*

Valentin ! *(Le robot ne se retourne même pas.)* Valentin !... *(Furieux)* Valentin ! *(Le robot disparaît.)*

FEMME *(à la cantonade)*

Qu'est-ce que tu lui veux, encore ?

MARI

Alors, en plus, je ne peux même pas écouter tranquillement mon concert...

(Apparaît la femme.)

FEMME

Tu es assommant... Valentin est en train de repasser et il ne peut supporter cette musique-là... Ça lui fait faire des plis partout.

MARI

Quoi des plis.

FEMME

Je te répète que c'est un robot, sois un peu sensible.

MARI *(de plus en plus furieux)*

Repassage ou pas, j'entendrai la radio tranquillement ! Valentin !

(Apparaît Valentin menaçant avec un énorme fer à repasser.)

MARI

Euh... bon... Eh bien, finissez votre repassage. *(Valentin disparaît.)* Il est complètement déréglé, ce type-là...

FEMME

Il marche à merveille... Il n'a jamais été aussi actif.

MARI

Il est absolument impossible de s'en faire obéir... Il n'est même plus capable de me boutonner mon col sans manquer de m'étrangler à chaque coup...

FEMME

Mets-toi à sa place... C'est un travail agaçant... Moi, vraiment, je ne vois rien à lui reprocher.

MARI *(amer)*

Etant donné qu'il passe des heures à remailler des bas,

il pourrait tout de même perdre une minute le matin à me fermer mon col.

FEMME

C'est toi qui l'as pris en grippe... Tu es injuste avec Valentin qui se casse le vilebrequin à nous être agréable...

(Valentin paraît — geste de l'ours, elle l'apaise... Il disparaît.)

MARI *(fait les cent pas, furieux)*

Et s'il n'y avait que mon bouton de col... Je suis obligé de laver mes chaussettes moi-même... Il refuse de mettre le charbon dans la chaudière... Ah ça, quand il s'agit de se faire graisser, là il arrive... Mais qu'il fasse attention... parce que je lui flanque une poignée de sable dans les cordons, moi...

FEMME

Ah, tu m'assommes... si tu n'es pas content, commandes-en un autre pour toi...

MARI

Oh non ! Valentin n'a pas 40 000 kilomètres... Je ne vais pas me coller un autre robot sur le dos... Ça va comme ça... D'ailleurs, il est encore sous garantie... Je vais le faire réviser, c'est tout... Je suis sûr qu'il y a quelque chose...

FEMME

Et puis, tu me fais perdre mon temps... Je retourne le surveiller.

(Valentin réapparaît, même geste.)

MARI

Pourquoi ?

FEMME

Fais signe à Valentin de déguerpir, il abat dix fois plus d'ouvrage quand je suis là...

MARI *(ronge son frein)*
Bon... ferme la porte en t'en allant...

(Elle sort.)
(Seul, il se lève, va au visiphone, compose — image d'un bonhomme.)

MARI
Allo ! Le B.H.V. ?

VOIX
Vous vous trompez de numéro... Ici, c'est la Présidence du Conseil...

MARI
La barbe !... *(Il appuie sur un bouton, ça s'éteint, il recompose, standardiste souriante.)*

STANDARDISTE
Bazar de l'Hôtel de Ville — toujours aimable et docile !

MARI
Le rayon des robots, s'il vous plaît ?

STANDARDISTE
Voilà, monsieur !

(Volet, chef de rayon à calotte noire.)

MARI
C'est pour mon robot, monsieur.

CHEF
Que se passe-t-il ?

MARI
Il est odieux.

CHEF
Quel numéro de série ?

MARI

137.

CHEF

Ah... Hum... C'est un des tout premiers.

MARI

On l'a depuis cinq ans, et je dois dire qu'il nous donnait toute satisfaction, mais depuis un mois, il est vraiment infernal.

CHEF

Hss... Ah... C'est le théorème de Rabidoin qui commence à jouer...

MARI

Quoi ?

CHEF

C'est un peu difficile... Enfin, nos premiers robots étaient trop parfaits, et... vous êtes marié, monsieur ?

MARI

Oui...

CHEF

Voilà, voilà... et avec Madame... il est obéissant ?

MARI

Elle ne s'en plaint pas...

CHEF *(gêné)*

Voyez-vous, nos premiers robots étaient doués d'intelligence, sensibles au froid, au chaud... et enfin...

MARI

Enfin, quoi ?

CHEF

C'est assez délicat à expliquer par visiphone... Enfin, à l'époque, tous nos robots avaient une virilisation positive.

De toute façon, soyez très affectueux avec lui, si vous voulez être obéi.

MARI

Qu'est-ce que ça veut dire ?... *(Il est illuminé.)* Une virilisation positive... (*Au visiphone* :) Mais alors, c'est tout simple... il suffit de couper le...

(Entre Valentin qui coupe le visiphone.)

Valentin ! Nom de Dieu ! *(Valentin s'en va impassible.)*

(Entre la femme.)

FEMME

Pour la dernière fois, as-tu fini de l'affoler avec tes hurlements ?

MARI

Ah, ferme ça ! toi !

FEMME

C'est à moi que tu parles ?

MARI *(poing sur la table)*

Assez ! Je vois clair, maintenant !

(Il décroche son chapeau et sort.)

FEMME

Il est complètement fou... Il faut que je téléphone au mécanicien... au docteur... quelle existence ! *(Elle appelle :)* Valentin !

(Valentin apparaît, boudeur.)

FEMME

Allons, ne boude pas comme ça... Il est parti, le méchant monsieur...

VALENTIN *(boude derechef - elle s'approche)*

FEMME

Qui c'est qui n'est le petit robot à sa mémère... Qui c'est, hein ?... Allez,... maintenant on va aller faire les lits bien gentiment...

(Le robot vibre de contentement et s'approche d'elle.)

FEMME

Valentin... Ah, Valentin... grand fou !

(Il s'approche, la guide, ils sortent.)

VOIX

Valentin... Valentin... Enfin, Valentin ! Oh, Valentin... Oh... Oh !...

(La porte claque — au même moment rentre le mari, il met la radio en marche. Musique sinistre.) *(De dos, il prépare sur la table une lampe à souder : l'allume, s'approche de la porte.)*

MARI *(appelle)*

Valentin ! mon petit ! Valentin ! *(Entre ses dents)*... Mécanique de merde !... Valentin !

(Derrière lui apparaît Valentin, muni d'un chalumeau oxhydrique qu'il allume et il marche sur le mari...)

RIDEAU

COMMENTAIRE.

Découverte inestimable ! Voici que dans la pile de feuillets jaunis apparaît un des tout premiers numéros de ce qui était devenu le quotidien le plus lu du vingt et unième siècle ! Bourré de renseignements précieux, présentés sous une forme assimilable, il n'en accordait pas moins une large place à la poésie, non sans fonder ses évocations émouvantes sur les tristes réalités sociales de 1978.

Projection Lune Matin *sur musique de blues qui va s'enchaîner sur celle du ballet, projection décor ballet sur musique magnétophone.*

Entrée danseurs.

SOLITUDE BALLET

(Argument de Roger Rafal, chorégraphie d'Ursula Kubler et Serge Perrault)

Le plateau est partagé en deux parties dans sa profondeur par un rideau transparent, sur toute la largeur.

Sur ce rideau apparaissent le mobilier de deux chambres d'hôtel, contiguës, séparées par une cloison au centre.

Un homme et une femme entrent chacun dans une chambre.

Ils portent une valise.

Sur un thème de blues : Ils vont procéder aux différents gestes du déshabillage, lent, triste, angoissé. Leurs gestes sont analogues.

Ils miment succinctement la toilette et se couchent
éteignent la lumière ensemble,
la rallument,
prennent un cachet,
éteignent.

(Le rideau transparent s'ouvre) : la lumière se fait.

Les deux personnages se lèvent. Ils sont vêtus de couleurs claires, costumes étincelants.

(Musique - rythme valse) : Ils dansent :
La rencontre,
L'Amour,
Les serments,
La passion.

Soudain une affreuse sonnerie de réveil les stoppe.

Le noir se fait : Le rideau transparent se referme : Les deux formes sont allongées sur leur lit respectif.

(Musique : thème de blues du début.)

D'un même geste ils s'asseoient, se frottent les yeux, arrêtent la sonnerie et se lèvent et restent debout, face à la cloison.

NOIR - RIDEAU

COMMENTAIRE.

Nos trois spéléologues connaissaient bien le nom d'Anatole Durand dont le monument s'élevait à Paris, place de la Concorde. Selon la légende, Durand avait inventé, de son vivant, une machine à remonter dans le temps. A sa mort, cependant, personne n'avait réussi à la faire fonctionner. Quelle émotion de saisir sur le vif l'essence même de la terrifiante vérité...

Projection Horrore *sur musique* le Temps des cerises.

LE RETOUR DANS LE TEMPS

1) *Entrée de la bonne* avec le courrier et la boîte du vase. Elle pose le tout sur le bureau et sort.
(Pendule minute)

2) *Entrée du professeur* — Chapeau, manteau. Il se déshabille, enferme ses vêtements dans le placard, va à son bureau, regarde le courrier sans l'ouvrir — Ouvre la boîte — saisit le vase sans le faire tomber.
(Monologue intérieur au micro : C'est son anniversaire)

Il recherche diverses dispositions pour le vase — A la dernière, il le fout par terre.

(Micro : Merde !
le Professeur : Zut !)

Il se ravise, ramasse les morceaux avec un petit carton, les refout dans la boîte, remet le couvercle.

(Micro : Il allait oublier sa machine à voyager dans le temps. Un retour en arrière de 5 minutes et tout était arrangé.)

Il va à sa machine, entre.

Retour de la pendule, d'un coup en arrière, vrombissement diabolique et ultrasonore.

3) *Deuxième entrée du professeur.*

Cette fois il se méfie. (Accroche manteau et chapeau même jeu... va à la table avec précaution. — Cherche, avant d'ouvrir la boîte, un endroit où placer le vase.)

Se gardant de prendre le vase, il sonne la bonne.

URSULE

Monsieur désire ?

PROFESSEUR

Ursule, voulez-vous ouvrir ces paquets avec précaution et poser ce vase sur cette étagère ?

URSULE

Bien monsieur *(Elle ouvre la boîte, prend le vase, fait oh ! et le fout par terre...)* Oh ! je l'ai cassé ! Pardonnez-moi, monsieur...

(Elle fond en larmes.)
Le professeur, un peu excédé, lui tapote les fesses...

PROFESSEUR

Ce n'est rien, Ursule... je vais arranger cela... Ramassez les morceaux et remettez-les dans la boîte... *(Elle obéit.)*

(Voix micro : Il était rien moche, son vase...)

URSULE

Il était si joli, monsieur...

PROFESSEUR

Je vous dis que ce n'est rien... allez... retournez à votre ménage...

(Elle sort — même jeu, il rentre dans la cabine — pendule — réapparaît.)

Le professeur a pris le vase avec précaution, et tourne sur lui-même dans la pièce.

Entre en courant le petit garçon habillé en cow-boy. Il voit le vase et hurle.

PETIT GARÇON

Ouh, Ouh, Ouh ! Un Peau-Rouge ! *(Il tire sur le vase qui se casse.)*

PROFESSEUR

Sacré, nom ! Petit crétin ! *(La bonne accourt.)*

URSULE

Hector ! Veux-tu laisser ton papa tranquille ! *(Elle voit le vase.)* Oh ! le joli vase ! quel dommage !

PROFESSEUR

Bon... ramassez ça... et mettez-le dans la boîte et sortez ! Je ne veux plus être dérangé.

URSULE

Le menuisier qui devait venir pour l'étagère... je le fais entrer ?

PROFESSEUR

Tout à l'heure ! Allez, filez !

(Ursule et Hector sortent — le professeur même jeu — va à la cabine, rentre. — Touche pas au vase. — Le

prend — va le poser sur l'étagère. — S'installe à son bureau. — Bosse. — On frappe. — Menuisier.)

PROFESSEUR

Entrez ! *(entre le menuisier avec ses outils).*

MENUISIER

C'est pour les étagères ?

PROFESSEUR

Oui... bon...

(Le menuisier commence à prendre des mesures. — Le vase le gêne. Il le déplace deux ou trois fois — chaque fois on a peur — il trébuche, etc.)

Enfin, il pose le vase sur le bureau du professeur qui lit son journal.

PROFESSEUR

Et voilà ! toujours la même chose... Les uns travaillent, les autres récoltent. Enfin !

(Geste large, il fout le vase en l'air)

Ah non !

(au menuisier)

Fichez-moi le camp d'ici !

(Il ramasse les débris du vase tandis que l'ouvrier sort hébété, et il refait la même sortie. — Pendule retour.)

Bruit de freins horrible. — Cri. — Un temps.

Entrent par la porte du fond deux infirmiers avec un brancard où repose le professeur.

1er INFIRMIER

A son âge, traverser la rue en courant !

2e INFIRMIER

Il devait être drôlement pressé de rentrer chez lui...

(Ils posent le corps. Un des infirmiers avise un brin de buis au mur.)

1er INFIRMIER

Faudrait un vase... *(Il furette, trouve la boîte.)* Voilà.

(Pose le vase au chevet du professeur, y met le brin de buis.)

2e INFIRMIER

Allez, on va prévenir la famille.

(Ils sortent par la porte intérieure.)
(Projecteur sur la tête du professeur. — Lentement le vase bascule et tombe.)

RIDO

COMMENTAIRE.

La guerre de soixante-cinq... la dernière... celle dont de rares survivants, octogénaires, parlaient encore avec des larmes de regret dans la voix... sous leurs yeux se déroula la scène ultime du conflit... au fond d'un abri bétonné, Chesterfield, Struwelmann et Pang-pou-dé poursuivaient inexorablement une lutte qui leur avait été imposée... au souvenir de ces heures terrifiantes le cœur des spéléologues cessait quasiment de battre.

Projection Combat douteux *sur musique affreux pot-pourri de marches nationales et autres marseillaises.*

LA GUERRE EN 1965

FRANCHE DEMENCE.

En exclusivité, un reportage de nos envoyés spéciaux sur les lieux mêmes où se déroule la plus grande bataille de tous les temps.

DÉCOR

P.C. des Généraux. Abri bétonné — au mur du fond, un énorme planisphère, très moderne. — Il est découpé en puzzle selon des éclatements réguliers. — Chaque fois qu'on appuiera sur un bouton, un morceau se détachera et, derrière, apparaîtra un gros chiffre représentant le nombre de millions de morts.

Trois généraux — une W.A.C. très moderne — uniforme 1965.

Au lever du rideau, les trois généraux sont au repos et font diverses choses — lecture, tricot, courrier. — La W.A.C. met de l'ordre, regarde sa montre de temps en temps.

COMMENTAIRE OFF

Aujourd'hui 7 juillet 1965, trente-neuvième jour de la IIIe guerre mondiale, organisée exceptionnellement sous le patronage de l'O.N.U. avec la collaboration de tous les signataires du Pacte Universel de non-agression.

Au 39e jour de la guerre, la situation est la suivante. — On compte 859 millions de morts, répartis à peu près également entre les divers pays signataires du pacte. On se souvient que c'est aujourd'hui qu'en accord avec les services de propagande du Vatican, vont enfin entrer en jeu les armes nouvelles mises au point par l'association internationale des électrotechniciens et des artificiers professionnels.

Ce reportage vous est offert par les cercueils Dupont, le cercueil qui tient bon...

Trois coups de gong.

La W.A.C. s'ébranle et prend le plateau à dés. — Les trois généraux abandonnent leurs menus travaux et se groupent derrière la table pupitre. — Boutons rouges et blancs.

Von Struwelmann — tire, chacun tire.

STRUWELMANN

Je commence. *(Il appuie sur le bouton I. Un morceau de la carte dégringole, un chiffre apparaît derrière : 17.)*

WAC

17 millions. *(Elle marque au boulier.)*

CHESTERFIELD

(Tire.)

CHACUN *(même jeu)*

COMMENTAIRE

Au premier tour, le total s'établit à 21 millions de morts dont 4 millions provenant des zones radioactives déjà éliminées. Soit 17 millions de morts réels. — C'est l'Allemagne qui mène.

(Deuxième tour de dés — même jeu.)
Des pans de plus en plus importants s'abattent.

COMMENTAIRE

Conformément à l'attente générale, il s'avère que les armes nouvelles font preuve d'une efficacité encore rarement atteinte. — C'est actuellement au tour du délégué de la Chine. *(Il joue.)*

(La presque totalité de la carte s'effondre. Il ne reste que deux petites zones.)

COMMENTAIRE

Le général Chesterfield a la main.
(Le général joue.)

Il faut se rendre compte qu'en un jour, on a largement dépassé le total qu'il fallait jusqu'ici plusieurs semaines pour atteindre, la qualité technique de la mise au point des tech... Aaaah.

(L'avant-dernière zone s'effondre — le commentaire s'arrête.)

CHESTERFIELD *(regarde la carte)*

Il n'a plus l'air de rester grand-monde.

STRUWELMANN

On en fait un dernier ?

PANG

Hum.

STRUWELMANN

Allez, un dernier... on ne va pas se séparer comme ça...

CHESTERFIELD

On continue...

(Dés. — C'est à Chesterfield. Il appuie et il explose.)

STRUWELMANN

Ça, c'est amusant... *(A Pang :)* On continue ?

PANG

Hum...

STRUWELMANN

Allez, quoi... qu'est-ce qu'on risque ?

PANG

Faut peut-être penser à la prochaine ?

STRUWELMANN

Alors on signe ?

PANG

Oui, mais dans quelles conditions ?

STRUWELMANN

Ah, c'est pas le moment de discuter, on signe ou non ?

PANG

Ecoutez... oui, mais... on n'est pas tout seul...

STRUWELMANN *(furieux)*

Alors on joue !

PANG

On pourrait attendre un peu ?

STRUWELMANN

On joue ou on signe !

PANG

On signe.

WAC

Ah... on va enfin pouvoir aller déjeuner... *(Elle se remet en civile.)*

STRUWELMANN

Allez, on signe.

Grand coup sur la table, il atteint un bouton. Les deux généraux explosent, la WAC aussi. La carte remue un peu et s'allume : TILT.

RIDEAU

COMMENTAIRE.

Les trois derniers généraux disparus, le monde s'était reconstruit rapidement... trop rapidement presque, car la surpopulation avait vite entraîné la pénurie de cavernes habitables. Mais ce jour-là, du bon travail avait été fait ; le cœur content, nos trois spéléologues reprirent la route du retour. L'un d'eux, chemin faisant, souriait... Une scène de la rue, matérialisée par les vieilles images de la belle époque qu'il venait de voir, lui traversait l'esprit... Une scène qui avait dû se passer bien des années auparavant.

Musique : les Amoureux qui s'embrassent sur les bancs publics.

FINALE

Devant le rideau bleu.
Tous sauf deux sont debout face au public tenant un journal devant eux, qui leur cache la figure. Immobiles.
Le piano joue les Amoureux qui s'embrassent sur les bancs publics *et entre un couple.*
Tous en costume de ville 1955.
Le jeune homme se fait traîner et s'arrête pour regarder le dos des journaux.

ELLE

Allons, viens t'asseoir sur le banc, on va nous prendre notre place.

LUI

Une minute... je veux voir quelque chose. *(Il la lâche et remonte un pas.)*

ELLE *(de l'autre côté de la scène)*

Allez, viens, voyons, qu'est-ce qu'il y a de spécial dans le journal aujourd'hui ?

LES CINQ

(baissent le journal qu'ils continuent à tenir droit, se découvrant uniquement la figure.)

ELLE

Qu'est-ce qu'il y a, tu veux me dire ?

LES CINQ *(d'une même voix)*

Il n'y a absolument rien d'intéressant...

(Les deux du bout jettent le journal à terre et les trois autres le retournent, faisant apparaître le mot

FIN

LES VOITURES

1959

Nous datons de 1959 ce sketch dont Boris Vian désigne lui-même les interprètes principaux. Rien ne nous permet de retenir cette date sinon qu'elle figure dans le texte et qu'elle n'y semble pas avancée de façon fortuite. Nos lecteurs sont néanmoins priés de partager les réserves qu'en notre intime nous nous formulons.

N. A.

LES VOITURES

DÉCOR. — *Une route de campagne. A gauche au premier plan, le cul d'une voiture dépasse de la coulisse jardin. — Elle est immobile. — On entend fredonner le chauffeur Martin, un homme de 55 ans environ, qui apparaît et astique.*

Ronflement de voiture rapide. — Surgit du fond une puissante 1 CV sport 1889 qui ralentit et vient se ranger derrière la première voiture.

Le conducteur, un jeune homme de 25 ans, Rambour, descend.

L'autre s'approche.

RAMBOUR

Ah... Je viens de vivre des minutes exaltantes...

MARTIN

Quoi donc ?

RAMBOUR

J'ai fait six cents mètres d'un coup. J'ai dû taper le 30 à l'heure. Vous vous rendez compte ?

MARTIN *(incrédule)*

Si je me rends compte !

(nostalgique)

Mais ce n'est qu'un rêve !

RAMBOUR

Je vous assure ! Dites-moi au fait *(il montre la voiture de Martin)* c'est bien cet embouteillage-là, pour l'Etoile ?

MARTIN

Oui, oui... c'est celui-là !

RAMBOUR

Vous êtes là depuis combien de temps ?...

MARTIN

Oh... à peine deux jours...

RAMBOUR

Ah ! bien ! Vous venez d'où ?

MARTIN

La Gare du Nord...

RAMBOUR

C'est ça... Et où est-on ici ?

MARTIN

Pas loin de Villeneuve-sur-Yonne.

RAMBOUR

Ça va... Je ne me suis pas trompé... C'est qu'avec le nouveau sens interdit Paris-Nice, on flotte un peu...

MARTIN

On est le 12... avec un peu de veine, on sera à l'Etoile le 27.

RAMBOUR

Vous allez un peu fort, vous ! *(Il rit.)*

MARTIN

Comment, je vais fort ?

RAMBOUR

Ouais... dix-neuf jours pour aller de la Gare du Nord à l'Etoile... D'ailleurs vous autres, les vieux, vous adorez vous payer la tête des gens de ma génération...

MARTIN

Moi qui vous parle, j'ai connu une époque où on allait de l'Etoile à la porte d'Orléans en soixante-douze heures.

RAMBOUR *(incrédule et ébahi)*

Allez, vous rigolez !

MARTIN

Comment... mais je ne rigole pas du tout !

RAMBOUR *(n'y croit pas)*

C'est marrant, chez les taxis, c'est une spécialité ! Vous n'arrêtez pas de raconter des blagues... on dirait que ça vous amuse...

MARTIN *(très sec)*

Ecoutez, jeune homme, il y a 30 ans que j'ai mon permis... c'était en 1959... eh bien en 1959, on faisait encore Opéra-Madeleine en moins de vingt-quatre heures...

RAMBOUR *(s'esclaffe)*

Ah, ça, c'est la meilleure...

MARTIN

Bon, bon... pensez ce que vous voudrez. *(Il maugrée.)*

RAMBOUR

Opéra-Madeleine en vingt-quatre heures... Pourquoi pas Saint-Lazare-Etoile en deux jours, pendant que vous y êtes.

(Il arrange quelque chose sous son capot.)

MARTIN

Je l'ai fait. Saint-Lazare-Etoile en deux jours — mais il fallait un peu champignonner... On passait par Chartres, Rennes, Cherbourg et on revenait sur Laon... Du sport. — Le plus dur, c'était le crochet final par Clermont-Ferrand ; là, mon vieux... on poussait à fond ! Mais avec un G 7, c'était pas sorcier...

RAMBOUR *(le regarde)*

Mais c'est vrai... C'est un G 7... Excusez-moi... Ce que vous êtes veinard, vous, alors !

(Il allume une cigarette.)

Vous en voulez une ?

MARTIN

Je veux bien...

(Il a maintenant le ton un peu protecteur de celui qui en a vraiment vu.)

RAMBOUR

On fait popote commune ?

MARTIN

Volontiers... ça économise le chauffage — ça commence à tirer...

RAMBOUR

Vous inquiétez pas... J'ai de l'essence pour un mois...

MARTIN

Ça sera juste !... Et les provisions ?

RAMBOUR

Ça, ça va... Deux mois de vivres...

MARTIN *(rasséréné)*

Oh ! bon ! Alors on est sûr d'arriver.

RAMBOUR

On a beau être jeunes, on est organisés...
(Il déballe des trucs.)
Et où allez-vous exactement ?

MARTIN

Charger des clients avenue Foch.

RAMBOUR

Oh... une fois à l'Etoile, vous y serez en vingt-quatre heures.

MARTIN

Oui... ça, c'est rien... On prend le passage souterrain du Bois, on revient sur Fontainebleau... la route est bonne...

RAMBOUR

Oui... et puis avec un G 7...
(Paraît un crieur de journaux.)

CRIEUR

Demandez *l'Embouteillé... L'Embouteillé !*

RAMBOUR

Passez m'en un ! *(Le crieur lui tend.)*

CRIEUR

Voilà, patron ! *(Il encaisse.)*
Et dix qui font cent...

RAMBOUR

Gardez !...
(Il déplie et lit.)

CRIEUR *(passe)*

Demandez *l'Embouteillé ! L'Embouteillé !*

MARTIN

Quoi de neuf ?

RAMBOUR

La voiture d'un dénommé Charnau vient d'avancer d'un mètre vers la Tour Eiffel.

MARTIN

Pas mal ! Il a touché la prime ?

RAMBOUR

Oui ! *(Le lui tend.)*
Et un nouveau préfet de police...
(Paraissent deux filles terribles.)

ROUGE

Bonsoir, chauffeur !

RAMBOUR

Bonsoir !

ROUGE

On se repose ?

RAMBOUR

Hélas non ! On va à l'Etoile !

ROUGE

T'as bien un petit moment, non ?

RAMBOUR

C'est qu'on va repartir d'un jour à l'autre...

ROUGE

Allez... viens... J'ai ma carte de dépanneuse.

RAMBOUR

Ah... Alors... *(Il se laisse entraîner.)*

VERTE *(à Martin)*

Vous en avez, un beau taxi...

MARTIN *(distrait)*

Oui... *(Il lit.)*

VERTE

Vous me laissez monter dedans ?

MARTIN

Non...

VERTE

Peau de vache !

(Elle passe.)

MARTIN *(lit et sursaute)*

Bon Dieu ! Rambour... Rambour !...

RAMBOUR *(voix)*

Ah... Quoi ?...

MARTIN

Les salauds !... Ecoutez ça... Par ordre de la Préfecture de police... en direction de l'Etoile, toutes les avenues sont désormais sens interdits...

RAMBOUR *(échevelé, paraît)*

Quoi ? Non !

MARTIN

Comme je vous le dis !

(Il lui tend le journal.)

RAMBOUR *(lit)*

Ah ! Je vous jure ! C'est à vous dégoûter de rouler !

RIDEAU

SALVADOR VEND DES DISQUES

1959

On sait quelle amitié liait Boris Vian et Henri Salvador et combien cette amitié fut fructueuse. Les « rock and roll » de 1955 et 1956 — qui sont leur œuvre vraiment commune — restent aussi désopilants qu'au premier jour et mainte et mainte chanson — d'avant ou d'après les rocks — atteste cette exceptionnelle entente d'un parolier peu ordinaire et d'un compositeur et interprète parmi les plus doués. Salvador vend des disques *est certainement l'un des derniers sketches écrits par Boris Vian. En janvier 1959, il se repose au cap de la Hague (où il avait déjà fait une courte retraite, en plein hiver, l'année précédente) ; Henri Salvador vient l'y rejoindre dans une grosse voiture achetée l'avant-veille. C'est au cours de ce séjour qu'ils imaginèrent le sketch qui termine notre recueil : l'expérience de Boris Vian directeur artistique d'une société de production de disques n'y est pas étrangère, tandis qu'Henri Salvador apparaît à la Télévision qui recourra fréquemment, les années suivantes, à son talent multiple.*

N. A.

SALVADOR VEND DES DISQUES

Le Directeur présente Henri au chef du rayon des pick-up, phonos, disques et radios.

DIRECTEUR

Monsieur Lacaze ?

CHEF DE RAYON *(au garde-à-vous)*

Monsieur le directeur...

DIRECTEUR

Je vous présente Monsieur Henri, que nous allons essayer comme vendeur — vous allez lui expliquer le fonctionnement détaillé de votre rayon.

HENRI

Vous avez un rayon de la mort ?

(Il est très intéressé.)

Ça, c'est formidable !

DIRECTEUR

Non... le rayon des disques.

HENRI *(déçu)*

Ah, oui. Dommage, dommage. Moi, avec un rayon de la mort, j'aurais bien rigolé.

DIRECTEUR

Assez d'idioties. Je vous laisse... Tâchez de vendre des quantités de disques.

HENRI *(pénétré)*

Je vais m'efforcer, monsieur.

(Le directeur s'éloigne.)

Je vais faire de mon mieux.

(Il prend la position du discobole.)

CHEF DE RAYON

Vous connaissez, grosso modo, notre système.

HENRI

Grosso modo, il s'agit de prendre l'argent du client...

CHEF DE RAYON *(rectifie)*

De le lui échanger contre une marchandise dont il ne trouvera l'équivalent nulle part ailleurs...

HENRI *(stupide)*

Ah ? Alors tous les disquaires sont fermés ?

CHEF DE RAYON *(désigne)*

Ici, les appareils... Ici les bacs à libre service... Le client choisit lui-même.

HENRI *(ravi)*

Il fait mon boulot, quoi... Ça, c'est extrêmement rationnel...

CHEF DE RAYON

Votre travail, c'est de lui permettre d'écouter à loisir le disque qu'il a choisi, d'attirer son attention sur les nouveautés.

HENRI *(complice)*

... et de lui refiler un rossignol au dernier moment.

CHEF DE RAYON *(sévère)*

Nous n'avons pas de rossignols à ce comptoir, monsieur.

HENRI

Vous n'aimez pas le chant du rossignol ? Eh bien, vous ne savez pas ce que vous perdez...

(Il siffle.)

C'est pas joli, ça ? Mais passons.

(Il choisit un disque dans les bacs et lit le nom.)

Prenons un exemple : un client arrive et dit : je cherche un enregistrement de « N'y fourre pas ton nez » par José Pompon, de l'Alcazar de Dieulefit. Alors, je prends ce disque et je le lui joue ?

CHEF DE RAYON

Vous êtes fou ! S'il sait tellement bien ce qu'il veut, c'est inutile de le lui faire écouter.

HENRI

Ah, bon... Alors, je ne lui fais écouter que ce qu'il ne connaît pas.

CHEF DE RAYON

C'est ça.

HENRI

Mais s'il ne le connaît pas, comment va-t-il le demander ?

CHEF DE RAYON

Il est attiré par la pochette.

HENRI

(Sort du bac un disque en pochette toute noire.)

La pochette...

(Il la retourne.)

Très attirant... ce noir... C'est très attirant... Ça flatte... pour une blonde... hé hé...

CHEF DE RAYON

Laissez ça... C'est un disque de démonstration de chez Borniol... Non... Je parle d'un disque avec une pochette normale.

HENRI

(Sort un disque d'un bac — la pochette 30 cm × 30, représente une horrible dame — Texte : Musique pour embêter belle-maman.)

Un comme ça ?...

CHEF DE RAYON

Je vous dis un disque avec une pochette normale — une pin-up...

HENRI

Ah... Je vois... Un comme ça ?

(Il sort un 30 × 30 avec une photo de Bardot et le titre : Chacha Bistel chante pour BRIGITTE BARDOT.)

CHEF DE RAYON

C'est ça... Avec ça, on sait ce qu'on achète...

HENRI

Oui... Ça, la photo est bien, et elle chante, maintenant, en plus ? Elle a tout, cette femme-là...

CHEF DE RAYON *(excédé)*

Ecoutez... Voilà des clients, débrouillez-vous, on va bien voir... Vous savez comment fonctionnent les appareils, au moins ?

HENRI *(suffisant)*

L'électronique n'a pas de secrets pour moi depuis 1927.

(S'avance un client, le chef de rayon se retire.)

HENRI *(au client)*

Bonjour, monsieur... Comment allez-vous, cher monsieur... C'est gentil de revenir nous voir déjà.

(Il lui serre affectueusement la main.)

Et aujourd'hui, qu'est-ce que ça sera ? Un petit Salvador bien frais ? Un inédit ?

CLIENT

Vous avez le pont de la rivière chose ?

HENRI

Le quoi ?

(Il prononce le Kwaï.)

CLIENT

C'est cela même. *(Il siffle.)*
Hui hou... hou ha hou hui hui heu !...

HENRI *(reconnaît)*

Ah !... Oui. *(Il enchaîne.)*
Hui hou !... Hou ha hou hui hui ha !...

CLIENT

C'est ça !...

HENRI

Quelle version voulez-vous ?

CLIENT

Ben... la meilleure...

HENRI

Je l'ai là par le Révérend Père Dupont, avec les petits chanteurs à la Croix de Berny.

(Il feuillette à la dérobée un catalogue.)

Par l'ensemble d'ocarinas de la Schola Cantorum... par Bruno Walter et son trombone magique... par les chiens chantants du Chenil de la Garenne Bezons... euh... et puis j'ai la musique originale du film...

CLIENT

L'original... tiens, ça c'est une idée pas ordinaire !

HENRI

N'est-ce pas ? *(Il rit.)* C'est original, hein ?...

(Il prend le disque, commence à manœuvrer un pick-up qu'il branche sur une prise de courant : une épaisse fumée se met à sortir de la prise ; il l'évente à la dérobée avec la pochette du disque.)

Voyons... hum... *(Il regarde le disque.)*
45 tours...

(Il pose le disque sur le plateau, presse un bouton, un bruit étrange retentit puis une violente explosion dans l'appareil.)

CLIENT

Que se passe-t-il ?

HENRI *(gêné, rit bêtement)*

C'est le dernier modèle, n'est-ce pas... ce pick-up est entièrement automatique... Et puis d'ailleurs je ne sais pas pourquoi vous voulez écouter ce disque, vous le connaissez par cœur.

(Une dernière explosion, et un voyant TILT s'allume sur l'appareil, Henri soulève le couvercle et sort un mirliton qu'il tend au client.)

Tenez... vous avez gagné ça !

(Il reprend le disque, le met dans une pochette, dirige le client vers la caisse.)

HENRI *(suite)*

Voyez caisse !

(Le client éberlué paie, regarde Salvador et part avec le disque.)

Et voilà...

(Une cliente arrive. Il se retourne et se trouve nez à nez avec elle.)

Chère Madame... Comment va le petit dernier ?

CLIENTE

Très bien, merci... Il a la coqueluche, mais ma foi, tant pis...

HENRI *(coquin)*

Je sais ce que vous cherchez, vous...

(Il choisit un disque et le brandit.)

Vous voulez le Gondolier !...

CLIENTE

Oh ! Vous êtes formidable ! Quel fin psychologue !

HENRI

C'était bien simple à deviner... Méthode Sherlock Holmes... J'ai regardé vos pieds ; ils sont mouillés ; or il y a du soleil dehors ; donc elle vient de Venise, me suis-je dit. De là à deviner que vous vouliez le Gondolier ; évidemment, il y a un pas... mais c'est si peu de chose, un pas... hein ?

CLIENTE

Je voudrais écouter votre meilleure version.

HENRI

Voilà voilà !... Je ne vous propose pas celui de Jean Gabin, parce qu'il a refusé de le faire, ni celui de Caruso, parce qu'il est manquant, mais en voilà un très exceptionnel.

(Il s'affaire autour d'un second pick-up et, d'un geste maladroit, il arrache le fil et se flanque du courant dans les pattes. Long gémissement, il secoue sa main et fracasse un poste de radio, puis s'esclaffe, très mondain.)

Mon Dieu, est-ce bête ! Que je suis maladroit !...

(Il retire le disque de la pochette, le manie, le courbe et le casse.)

Zut !

CLIENTE

Oh ! Vous l'avez cassé ! Quelle horreur ! *(Elle fond en larmes.)*

HENRI

Mais ce n'est rien... ne vous en faites pas ! Quelques agrafes, et ça va aller tout seul... *(Il agrafe le disque avec une agrafeuse.)*

CLIENTE

Ça va faire un bruit !

HENRI

Ça va égayer l'ensemble...

CLIENTE

C'est que...

HENRI

Bon, bon ! J'en ai là un tout nouveau que vous adorerez !...

(Il met un nouveau pick-up en marche, le pick-up s'ouvre avec bruit et il en sort un amas de pièces détachées.)

Parfait... Installez-vous là, je vous le joue...

(Prestement, il installe la cliente, saisit une guitare.)

Tournez-vous... asseyez-vous... restez de dos, n'est-ce pas... ne vous retournez sous aucun prétexte, le pick-up est très sensible... *(Il chante le « Gondolier ».)*

CLIENTE

C'est sensationnel...

HENRI *(faussement modeste)*

Oui... heu... C'est assez réussi...

CLIENTE

Moi, cette musique me transporte.

HENRI

Les paroles, non ?

CLIENTE

Oh, les paroles sont idiotes, je sais bien... mais qu'importe... C'est tellement Venise !...

HENRI

Alors vous le prenez ?

CLIENTE

Non... Je voulais juste l'entendre... merci, jeune homme.

(Henri reste, bras croisés, complètement soufflé. Arrivent trois enfants avec des valises, et une mère en larmes avec une énorme valise, et un homme l'air gêné.)

MÈRE

Je t'assure que je n'aurais pas dû le quitter comme ça.

HOMME

Mais Caroline, puisque nous nous aimons...

(Henri regarde ça d'un air complètement ahuri — un des enfants lui tend un bonbon, il le prend machinalement.)

MÈRE

Je ne veux pas partir sans être bien sûre de ses sentiments...

HOMME

Enfin quoi... Il t'a dit « Bon voyage »...

MÈRE

Justement... *(Elle sanglote.)*
Qu'est-ce qu'il a voulu dire par là ?

(Henri s'affaire autour d'un pick-up, très prudent. Le meuble croule tout à coup. Tous sursautent.)

PÈRE
MÈRE

Qu'est-ce que c'est ?

HENRI *(calme)*

Vous vouliez écouter « Bon voyage » ?

MÈRE

Oui...

HENRI *(très ferme)*

Et l'acheter !

MÈRE *(intimidée)*

Euh... Oui.

HENRI *(cassant)*

Alors, silence ! *(Il met en marche, enfin, un pick-up.)*

PICK-UP

« Il n'y a pas d'abonnés au numéro que vous demandez... »

HENRI

Oh !

(Il est furieux, reprend sa guitare, l'air féroce et se met à chanter « Bon voyage ».)

MÈRE *(effondrée)*

J'en étais sûre... Voilà ce qu'il pense de moi...

HENRI *(très businessman)*

Alors je vous en mets un pour chacun.

(Il enfile cinq disques dans cinq enveloppes, en donne un à chacun, tape à la caisse enregistreuse.)

Et hop ! *(Il les pousse à la caisse.)*
Voyez caisse !

(Apparaît le directeur.)

DIRECTEUR

Bravo ! Vous avez fait du bon travail !

HENRI

Pas mal, pas mal... Cinq exemplaires du même...

DIRECTEUR

Voyons... *(Il regarde les dégâts.)*
Ce modèle-là est à 39 600 francs. Celui-ci à 65 000. Celui-ci *(il siffle)* compliments ! à cent trente-deux mille...

(Henri tape à la caisse.)

Ça fait... 236 000 et des poussières... Je vous engage à quarante mille pour débuter...

(Il lui tend un contrat.)

Signez ça... Vous me devez six mois...

HENRI

Six mois !

DIRECTEUR

Faut rembourser !

HENRI *(éclate en sanglots)*

Ah, ben non, alors ! Et moi qui me décarcasse pour la maison !...

(Il met en marche une télévision.)

Ils sont tous cassés, vos sales trucs !

(A la télé, on voit Salvador.)

Ça y est ! Ils ont commencé sans moi.

(Très mondain.)

Excusez-moi, cher monsieur... Je file !... Un engagement antérieur...

(Il file à la télé, on voit Salvador tirer la langue au directeur, puis le poste explose ; Salvador revient.)

Je vous le dis, qu'ils ne marchent pas, vos machins !

FIN

TABLE DES MATIÈRES

Achevé d'imprimer le 9 mai 1977
sur les presses de SIMPED S.A., Evreux
Dépôt légal : 2e trimestre 1977.
N° d'édition : 375.
N° d'impression : 5966.

Achevé d'imprimer le 2 mai 1977
sur les presses de [illegible]
Dépôt légal : 2e trimestre 1977
N° d'édition : 2273
N° d'impression : 1360